# ME ARREBATA

## EPOPEIAS RUBRO-NEGRAS - Volume 2
## 1950 - 1979

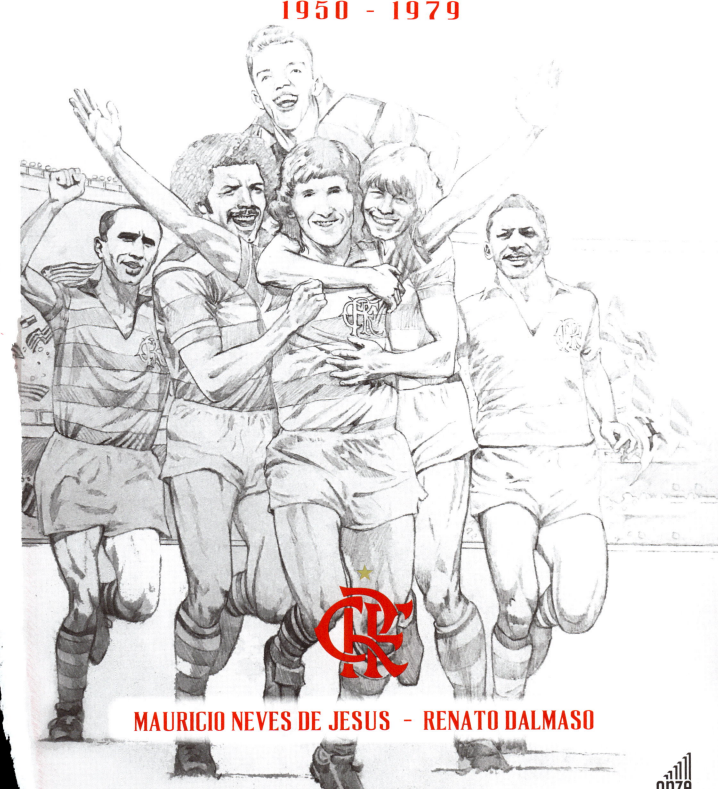

**MAURICIO NEVES DE JESUS — RENATO DALMASO**

EU NASCI FLAMENGO, EM LAR RUBRO-NEGRO. O vermelho e preto está em minha vida desde sempre. Até nas peladas que eu jogava quando criança na rua Lucinda Barbosa com a Franco Vaz, eu sonhava em jogar no Flamengo. E se pudesse ser com a camisa 10 do meu ídolo, o Dida, eu seria a pessoa mais feliz do mundo. O tempo passou e cheguei ao clube aos 14 anos, pelas mãos do Celso Garcia. Para ficar lá, tive o apoio decisivo do George Helal. Dois grandes rubro-negros, assim como outros que vi ou convivi. Bría, Silva, Joubert, Carlinhos, Valter Miraglia, gente que estava lá jogando ou trabalhando em outras funções, passando de geração em geração o que é ser Flamengo.

Aqui, nestas páginas do segundo volume da HQ *Me Arrebata*, está minha história como torcedor e jogador, desde os primeiros gols em 1968 contra o Everest até a conquista do primeiro título brasileiro em 1980. É o filme de uma etapa da minha vida, agora em quadrinhos, para que todos possam se emocionar como eu me emocionei vivendo tudo isso.

Aqui eu pude reencontrar o Francalacci, o Doval, o Geraldo, o Coutinho, o Domingo Bosco e muitos outros. Para mim, eles estão vivos, eu ainda sonho com eles, como se a gente estivesse se preparando para o jogo no próximo domingo.

E aqui, nesta aquarela, eles e todos que fizemos a história do Flamengo, estamos vivos para sempre.

Eu sinto saudade. Foi bom ter feito tudo dando o máximo que eu podia, porque agora posso relembrar e sentir tudo de novo. Afinal, eu realizei o meu sonho de criança, e com a camisa 10 do meu ídolo Dida, no Flamengo do meu pai, no meu Flamengo, eu fui feliz de um jeito que jamais poderia imaginar.

E assim será para sempre.

ZICO

QUANDO EU VOLTEI DA EUROPA PARA ENCERRAR MINHA CARREIRA NO FLAMENGO, ficou famosa uma foto em que estou na Gávea, com o pé esquerdo sobre a bola, e oito jogadores vindos da base estão me ouvindo. Era uma leitura do fotógrafo, o Nilton Claudino, em que eu, chegando aos 38 anos, era o professor dos meus companheiros mais jovens.

Mas a história começa bem antes. Na Escola Flamengo, antes de ser professor, eu fui aluno. Quase tudo o que sei da vida, aprendi lá. Quem me levou do Juventus da praia para o Flamengo foi o seu Bría, tricampeão em 1944, que me acompanhou durante quase todo o tempo que joguei lá. Tricampeões de 1955 também trabalharam no clube no meu tempo de atleta. Assim, quando eu mesmo fui tricampeão em 1979, eu os carregava comigo, como carrego até hoje.

No começo da carreira nos profissionais, fui treinado por Joubert. No final, por Carlinhos. Não há como negar, os que me ensinaram o que é ser Flamengo entendiam do riscado. Passar isso adiante, mais do que uma obrigação, era um prazer. Joubert e Carlinhos estão aqui nesta história em quadrinhos, como estão meus companheiros de campo e os que, fora dele, tornavam tudo possível: Francalacci, Coutinho, Bosco. Se faltou gente, faltou porque o Flamengo é grande demais, não cabe em um livro. O Flamengo inteiro, completo, não cabe em lugar nenhum que não seja no peito da gente.

O que este livro aqui diz é o mesmo que eu estava dizendo aos garotos naquela foto. É o mesmo que eu diria a qualquer um que jogou, jogue ou venha a jogar no clube.

Quando o Flamengo entra em campo, meu irmão, a história entra junto.

JUNIOR

Quando eu fiz a divisão de conteúdo de *Me Arrebata*, eu sabia que o trabalho do segundo volume seria altamente emocional. Primeiro, porque eu passaria pela formação do meu pai como rubro-negro, ao pé do rádio, no final dos anos 1950. Segundo, porque nele está a minha percepção como alguém que pertencia a algo muito grande chamado Flamengo. Eu me percebi rubro-negro ao mesmo tempo das outras percepções iniciais da vida. E terceiro, porque eu reencontraria aquele que eu chamo de o Flamengo de Zico e Junior, que me ensinou como se vive.

Para além das questões pessoais, arrepiei-me ao voltar ao tempo em que Flamengo e Maracanã se encontraram e perceberam que haviam sido feitos um para o outro. Para o Maracanã, o Flamengo seria sua alma. Para o Flamengo, o Maracanã seria o melhor sentido da palavra casa. Assim, revivi a primeira vez que fui ao Maracanã. Isso valeu pelas milhares de horas de pesquisa. Espero que você, leitor, também possa se sentir, de novo, pela primeira vez no Maracanã. A gente se vê lá.

Antes da afirmação do Flamengo de Zico e Junior, perdemos Geraldo Assoviador. Não vi Geraldo jogar, mas ele era o 8 do meu primeiro time de botão. E eu perguntava ao meu pai, Tulio, onde estavam os jogadores que tinham seus nomes nos botões, mas que já não estavam no Flamengo que eu ouvia no rádio. Quando soube que o número 8 estava morto, conheci a finitude. Aos cinco anos de idade, chorei com o botão de acrílico na mão. O Flamengo me ensinou muito do pouco que sei. Em tempo: eu ainda tenho o botão com o nome do Geraldo. Às vezes, tarde da noite, ouço um assovio.

Enquanto eu escrevia este segundo volume, perdi minha mãe, Mirian. Felizmente ela ainda leu o primeiro livro. "Filho, é o teu Flamengo que está aqui", ela me disse. "O teu também, mãe", queria ter dito eu, mas o nó na garganta me impediu. Dias depois do seu falecimento, descobri que seria pai pela primeira vez. Passados uns meses, eu assistia ao jogo em que o Flamengo venceu o Atlético Mineiro pela Copa do Brasil. Estava deitado ao lado da minha esposa, Paula, que dormia. Quando Arrascaeta marcou, permaneci em silêncio, com a mão na barriga da minha esposa, e minha filha se mexeu lá dentro. Deve ter sentido minha felicidade. "É o teu Flamengo, filha", falei baixinho. O Flamengo e a vida continuam.

Este texto vem assim, emocionado, meio desconexo, porque o escrevo nas últimas horas de 29 de outubro de 2022, e acabamos de ser tricampeões da Libertadores. O Flamengo que é meu e da minha família. Que é seu, amigo leitor. Que é de Geraldo, de Zico e Junior. De Éverton Ribeiro, com a esposa Marília e os meninos no gramado em Guayaquil.

De tanta gente, meu Deus, este Flamengo que é, foi e sempre será.

*Mauricio Neves de Jesus*

UM DIA APÓS A VITÓRIA DO URUGUAI SOBRE O BRASIL NA COPA DE 1950, A CRÔNICA ESPORTIVA DEBATIA SOBRE O FUTURO DO ESTÁDIO MUNICIPAL, O MARACANÃ. COM A EUFORIA TRANSFORMADA EM TRISTEZA, O GIGANTE DE 32 METROS DE ALTURA E 317 DE COMPRIMENTO VOLTARIA A SER TOMADO PELO PÚBLICO?

A RESPOSTA NÃO TARDOU. NO DIA 23 DE JULHO DE 1950, O PRIMEIRO DOMINGO DEPOIS DO MARACANAZO, O ESTÁDIO SE ENCHEU DE RUBRO-NEGROS PELA PRIMEIRA VEZ.

PELA PRIMEIRA VEZ, PASSAR A CATRACA E DEIXAR O MUNDO PARA TRÁS.

PELA PRIMEIRA VEZ, PERDER O FÔLEGO COM A VISTA DO MAIOR TEMPLO QUE O FUTEBOL MUNDIAL JÁ TEVE.

PELA PRIMEIRA VEZ, O ARREPIO COM O FLAMENGO PISANDO O CAMPO DO MARACANÃ.

ANTES DO JOGO, CINCO PERSONAGENS DO MUNDIAL POSARAM COM A BANDEIRA DO BRASIL. OS RUBRO-NEGROS JUVENAL, BIGODE, JOHNSON E JAYME DE CARVALHO. E ZIZINHO, EM SEU PRIMEIRO JOGO PELO BANGU, QUE O TIRARA DA GÁVEA COM UMA PROPOSTA MILIONÁRIA — A BILHETERIA FAZIA PARTE DO PAGAMENTO DA TRANSFERÊNCIA.

A CARGA DE 40 MIL INGRESSOS SE ESGOTOU. ESTIMA-SE QUE OUTRAS 40 MIL PESSOAS ENTRARAM DEPOSITANDO NAS URNAS DINHEIRO EM VEZ DE BILHETES.

ATENÇÃO, FOTÓGRAFOS, O MOMENTO É HISTÓRICO: BRÍA, WALTER, CLÁUDIO, BIGUÁ, JUVENAL, BIGODE, ALOYSIO, ARLINDO, HÉLIO, LERO E ESQUERDINHA, EIS O PRIMEIRO FLAMENGO DO MARACANÃ.

JÁ ERAM DECORRIDOS 33 MINUTOS QUANDO ALOYSIO TAVARES DA CUNHA, CAMISA 7, RECEBEU PELA DIREITA E BATEU CRUZADO PARA ABRIR O PLACAR E ENTRAR PARA A HISTÓRIA.

DOIS DE ALOYSIO, UM DE LERO. A VITÓRIA POR 3 X 1 DEIXOU A TORCIDA EM FESTA E MOTIVOU A MANCHETE DO *JORNAL DOS SPORTS*: "PARA TRANSFORMAR A MISSA DE SÉTIMO DIA EM FESTA DE BAILE".

ESTÁDIO RASUNDA, ESTOCOLMO, 16 DE MAIO DE 1951. JOGANDO COM CAMISAS DE LÃ PARA SUPORTAR O FRIO, OS RUBRO-NEGROS VENCERAM O MALMÖ POR 1 X 0, GOL DE ESQUERDINHA.

O FLAMENGO ORGULHA O ESPORTE BRASILEIRO AQUI NO VELHO MUNDO...

DIRETO DA SUÉCIA, ODUVALDO COZZI FAZIA SUA ESTREIA NA EMISSORA CONTINENTAL, QUE FEZ INSTALAR ALTO-FALANTES NO LARGO DA CARIOCA, REUNINDO UMA MULTIDÃO PARA OUVIR O JOGO.

QUATRO DIAS DEPOIS, TAMBÉM NO RASUNDA, A VÍTIMA FOI O AIK. SOB APLAUSOS, GOLEADA POR 6 X 1 COM UM HAT TRICK DE HERMES.

NO DIA 23, EM MALMÖ, OUTRA VITÓRIA CONTRA O TIME HOMÔNIMO, DESTA FEITA NO ESTÁDIO IDROTTSPLATS: 2 X 0, DOIS GOLS DE NESTOR, O PRIMEIRO DEPOIS DE DRIBLAR O GOLEIRO PETTERSON.

OS BRASILEIROS FORAM RECEBIDOS SOB NEVE NA GELADA SUNDSVALL. NO DIA 27 DE MAIO, ENTRARAM EM CAMPO COM UMA TEMPERATURA DE ZERO GRAU PARA ENFRENTAR O COMBINADO DO NORTE.

NO SEGUNDO GOL DA VITÓRIA POR 2 X 1, ADÃOZINHO AMEAÇOU BATER UMA FALTA, MAS ROLOU PARA PAVÃO MANDAR UMA BOMBA: GOLAÇO!

EM BORAS, NO DIA 1º DE JUNHO, O FLAMENGO BATEU O ELFSBORG POR 3 X 0 E FICOU COM COM A ELFSBORG CUP. O VELHO BIGUÁ FOI O MAIS APLAUDIDO, PELA DEMONSTRAÇÃO DE RAÇA A CADA JOGADA.

O TIME SEGUIU ARRASADOR. FOI À DINAMARCA E VENCEU UM COMBINADO DE COPENHAGUE POR 2 X 0, E VOLTANDO À SUÉCIA SUPEROU O HALMIA TAMBÉM POR 2 X 0 E O NORRKÖPING POR 6 X 1.

OS DOIS ÚLTIMOS JOGOS NA EUROPA FORAM OS MAIS MARCANTES. EM 13 DE JUNHO, SOB AS LUZES DO PARQUE DOS PRÍNCIPES, GOLEADA POR 5 X 1 CONTRA O RACING CLUB DE PARIS. ESQUERDINHA FOI O MELHOR DA NOITE.

QUATRO DIAS DEPOIS, EM LISBOA, O FLAMENGO FEZ 3 X 0 NO BELENENSES, COM ÍNDIO ABRINDO O MARCADOR COM UM GOLAÇO. 10 VITÓRIAS EM 10 JOGOS, 32 GOLS MARCADOS E APENAS 4 SOFRIDOS. UM FEITO NOTÁVEL E ETERNO.

ÀS CINCO DA TARDE DE 27 DE JUNHO DE 1951, A AERONAVE DA SCANDINAVIAN AIRLINES POUSOU NO GALEÃO. QUANDO OS JOGADORES DESEMBARCARAM, O POVO QUE OS AGUARDAVA COMEMOROU COMO UM GOL EM DECISÃO DE CAMPEONATO.

EM CARRO ABERTO, A DELEGAÇÃO PERCORREU RUAS E AVENIDAS, SEGUIDA POR UMA MASSA HUMANA. DAS JANELAS, PESSOAS ACENAVAM COM LENÇOS BRANCOS E JOGAVAM PAPEL PICADO. O RIO REVERENCIAVA OS INVICTOS DA EUROPA.

NA VOLTA AO BRASIL, DEPOIS DE UM MÊS JUNTO DO TIME DE FUTEBOL, GILBERTO CARDOSO PARECIA DISPOSTO A NÃO SE SEPARAR DO FLAMENGO POR NENHUM INSTANTE, EM NENHUMA MODALIDADE. TRANSPORTAVA O TIME DE VÔLEI FEMININO – OITO ATLETAS – PARA OS JOGOS EM SEU CADILLAC.

NO SÁBADO, 28 DE JULHO DE 1951, ELAS ENFRENTARAM O FLUMINENSE NAS LARANJEIRAS PELA PENÚLTIMA RODADA DO CAMPEONATO CARIOCA. UMA VITÓRIA DARIA O TÍTULO ÀS RUBRO-NEGRAS.

O TRIUNFO POR DOIS SETS A UM VEIO COM UMA GRANDE ATUAÇÃO DA LEVANTADORA CARMEN GODINHO – IRMÃ DE GODINHO, CRAQUE DO BASQUETE. CAMPEÃS COM ONZE VITÓRIAS EM ONZE JOGOS, ELAS ASSEGURARIAM AINDA A INVENCIBILIDADE NA ÚLTIMA RODADA CONTRA O BOTAFOGO.

O TREINADOR ZOULO RABELLO, PEQUENINA, ROSINHA, LEILA, CARMINHA, CARMEN GODINHO, MARLENE, LÍGIA, LYLIAN E GILBERTO CARDOSO COMEMORARAM RUIDOSAMENTE O PRIMEIRO DE UMA SÉRIE DE TÍTULOS QUE FARIA AQUELE TIME SER CONHECIDO COMO ROLINHO COMPRESSOR.

NO DIA SEGUINTE, 29 DE JULHO, A FESTA FOI NO MARACANÃ, COM O TORNEIO INÍCIO. EM JOGOS COM MEIA HORA DE DURAÇÃO, O FLAMENGO VENCEU O MADUREIRA POR 2 X 0, O AMERICA POR 1 X 0 E O FLUMINENSE POR 2 X 0, CLASSIFICANDO-SE PARA A FINAL.

A DECISÃO DO *INITIUM*, EM JOGO DE 60 MINUTOS, FOI CONTRA O BANGU. VITÓRIA DE VIRADA POR 2 X 1, DOIS GOLS DE ÍNDIO, O SEGUNDO EM CABEÇADA ESPETACULAR.

BIGUÁ E GILBERTO CARDOSO RECEBERAM A TAÇA HERBERT MOSES, OFERECIDA PELA CBD AO CAMPEÃO. O PRIMEIRO DE MUITOS TROFÉUS QUE O FLAMENGO CONQUISTARIA JOGANDO NO MARACANÃ.

11

NA SEGUNDA-FEIRA, 30 DE JULHO DE 1951, NO FECHAMENTO DO CAMPEONATO DE BASQUETE, O FLAMENGO – CAMPEÃO DESDE A ANTEPENÚLTIMA RODADA – VENCEU O MACKENZIE POR 63 X 48: 18 JOGOS, 18 VITÓRIAS.

GILBERTO CARDOSO NÃO PODERIA ESTAR MAIS FELIZ. VIÚVO HAVIA UMA DÉCADA, JÁ TINHA SE HABITUADO A OUVIR SEUS AMIGOS DIZEREM QUE ELE TINHA SE CASADO DE NOVO, AGORA COM O FLAMENGO. DE FATO, HAVIAM NASCIDO UM PARA O OUTRO.

O ANO DE 1951 AINDA RESERVAVA ALGUMAS ALEGRIAS PARA OS RUBRO-NEGROS. O VÔLEI FEMININO GANHOU O TORNEIO DOS JOGOS DA PRIMAVERA, ENQUANTO O TIME MASCULINO – TAMBÉM TREINADO POR ZOULO RABELLO – LEVOU O CAMPEONATO CARIOCA.

AVANÇA, Ó TURMA, ENQUANTO O BICHO BERRA, VENCER NO MAR E TAMBÉM AQUI NA TERRA!

O ROLINHO COMPRESSOR CONQUISTOU O TROFÉU NO DIA 11 DE OUTUBRO, VENCENDO O FLUMINENSE NA QUADRA DA ASSOCIAÇÃO ATLÉTICA GRAJAÚ. A CHARANGA APOIOU SEM PARAR, COM UM GRITO PREPARADO POR JAYME ESPECIALMENTE PARA A OCASIÃO. PEQUENINA, ROSINHA, LEILA, CARMINHA, CARMEN GODINHO, MARLENE E NORMINHA, EIS AS MENINAS DO PRESIDENTE.

JÁ O TIME MASCULINO FOI CAMPEÃO CARIOCA COM TRÊS RODADAS DE ANTECEDÊNCIA. LÚCIO, JONAS, JOHN O'SHEA, CANCINHO, WANTUIL, CORRENTE E LITO, OS MELHORES DO VÔLEI NO RIO EM 1951.

NO FUTEBOL, O FLAMENGO GANHOU A DISPUTA COM O BOTAFOGO E FICOU COM O PONTA-DIREITA JOEL. OS ANOS PROVARIAM QUE TODO O ESFORÇO POR SUA CONTRATAÇÃO SERIA MUITO BEM RECOMPENSADO.

NA GOLEADA POR 6 X 0 CONTRA O CANTO DO RIO, NO ESTÁDIO CAIO MARTINS, EM 18 DE NOVEMBRO DE 1951, JOEL MARCOU O PRIMEIRO DOS 116 GOLS QUE FARIA COM A CAMISA DO FLAMENGO.

NO FUTEBOL, O DESTAQUE EM 1952 FOI A EXCURSÃO PARA JOGOS NO PERU, NA COLÔMBIA E NO EQUADOR, COM DUAS CARAS NOVAS: O MEIA-ESQUERDA PARAGUAIO BENÍTEZ, ORIUNDO DO BOCA JUNIORS, E O LATERAL-ESQUERDO JORDAN, CONTRATADO DO SÃO CRISTÓVÃO.

O GIRO SUL-AMERICANO INCLUIU O QUADRANGULAR DE LIMA. DEPOIS DE GOLEAR O SPORT BOYS POR 5 X 1 E EMPATAR COM O DEPORTIVO MUNICIPAL POR 4 X 4, O FLAMENGO LEVANTOU O TROFÉU AO GANHAR DE VIRADA DO ALIANZA POR 3 X 1. JOEL FEZ GOLS NOS TRÊS JOGOS.

NO DIA 10 DE AGOSTO, MESMO JOGANDO COM OS ASPIRANTES, OS RUBRO-NEGROS CONQUISTARAM O BICAMPEONATO DO TORNEIO INÍCIO. A DECISÃO FOI CONTRA O VASCO E JADYR FEZ O GOL ÚNICO AO BATER BARBOSA COM UM GOL DE CABEÇA.

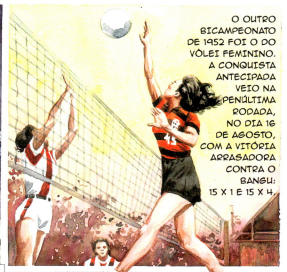

O OUTRO BICAMPEONATO DE 1952 FOI O DO VÔLEI FEMININO. A CONQUISTA ANTECIPADA VEIO NA PENÚLTIMA RODADA, NO DIA 16 DE AGOSTO, COM A VITÓRIA ARRASADORA CONTRA O BANGU: 15 X 1 E 15 X 4.

O ROLINHO POSOU PARA A FOTO SOLENE, PUBLICADA NO *ESPORTE ILUSTRADO*: GILBERTO CARDOSO, ROSINHA, LEILA, PEQUENINA E PASSARINHO, QUE HAVIA SUBSTITUÍDO ZOULO RABELLO; E AGACHADAS: CARMINHA, CARMEN GODINHO E MARLENE.

IGUALMENTE ARRASADOR E BICAMPEÃO FOI O BASQUETE MASCULINO. NO JOGO QUE VALEU A TAÇA, 42 X 25 CONTRA O SÍRIO E LIBANÊS NO DIA 19 DE DEZEMBRO.

15

APÓS O NATAL DE 1952, FLAVIO COSTA DEIXOU A GÁVEA PELA SEGUNDA VEZ, AO RECEBER PROPOSTA DO VASCO. JAYME DE ALMEIDA ASSUMIU INTERINAMENTE COMO TÉCNICO.

NO DIA 3 DE MARÇO DE 1953, UMA TERÇA-FEIRA, SANTOS E FLAMENGO FIZERAM UM AMISTOSO NA VILA BELMIRO. O PLACAR SERIA 4 X 4, MAS O ÁRBITRO ANULOU UM GOL LEGAL DE ÍNDIO, AUTOR DOS OUTROS TRÊS.

NO MESMO DIA, BEM LONGE DA VILA BELMIRO, ONZE HORAS ANTES DAQUELE JOGO, UMA FAMÍLIA RUBRO-NEGRA ESTAVA FELIZ. NA CASA NÚMERO 7 DA RUA LUCINDA BARBOSA, EM QUINTINO, NASCIA ARTHUR ANTUNES COIMBRA, O SEXTO FILHO DE SEU ANTUNES E DONA MATILDE.

DOIS DIAS DEPOIS, NOVO AMISTOSO NA VILA E O SANTOS FOI ABATIDO POR 4 X 0, COM ADÃOZINHO ABRINDO OS SERVIÇOS COM UM GOLAÇO DE BICICLETA. A PRIMEIRA VITÓRIA DO FLAMENGO NA VIDA DO RECÉM-NASCIDO ARTHUR.

ENQUANTO ISSO, O ROLINHO SEGUIA ARRASADOR. EM EXCURSÃO AO PERU, ENTRE OS DIAS 23 DE FEVEREIRO E 8 DE MARÇO, FORAM 19 JOGOS COM 19 VITÓRIAS INCONTESTÁVEIS, CHEGANDO A JOGAR TRÊS VEZES EM APENAS 24 HORAS.

AINDA COM JAYME NO COMANDO TÉCNICO, O FLAMENGO FOI A BUENOS AIRES NO FINAL DE MARÇO DISPUTAR O TORNEIO QUADRANGULAR *JUAN DOMINGO PERÓN*. NOS DOIS PRIMEIROS JOGOS, 2 X 2 COM O SAN LORENZO E 1 X 1 COM O BOCA JUNIORS.

NO SÁBADO, 28 DE MARÇO, OS RUBRO-NEGROS BATERAM O BOTAFOGO POR 3 X 0 NO MONUMENTAL DE NÚÑEZ PARA FICAR COM A TAÇA. RUBENS, O CRAQUE DO TORNEIO, ANOTOU DUAS VEZES.

MAIS TARDE, GILBERTO CARDOSO ENCONTROU-SE COM FLEITAS SOLICH. O TREINADOR HAVIA SAÍDO DE LIMA, ONDE COMANDARIA O PARAGUAI NA DECISÃO CONTINENTAL CONTRA O BRASIL, PARA UMA VIAGEM E BATE E VOLTA A BUENOS AIRES.

SOLICH HAVIA SIDO INDICADO PELO COMPATRIOTA BRÍA, MAS SÓ PODERIA ASSUMIR O FLAMENGO APÓS O CAMPEONATO SUL-AMERICANO. O ENCONTRO EM BUENOS AIRES FOI PARA ASSINAR O ACORDO FEITO POR TELEFONE TRÊS MESES ANTES. JAYME DE ALMEIDA PASSARIA A SER O AUXILIAR DE SOLICH. ¡SALUD!

"EL PRESIDENTE ME DIO CARTA BLANCA PARA HACER LO QUE QUIERA. ME VOY AL FLAMENGO PARA SER CAMPEÓN."

OS JORNALISTAS QUE COBRIAM O FLAMENGO NO QUADRANGULAR AGUARDAVAM EM FRENTE AO HOTEL, NA RUA TUCUMÁN. SOLICH TINHA PRESSA EM RETORNAR PARA LIMA E DEU UMA BREVE DECLARAÇÃO.

O CAMPEONATO CARIOCA DE 1953 SERIA DISPUTADO EM TRÊS TURNOS. NA ESTREIA CONTRA O MADUREIRA, GOLEADA POR 4 X 0 NO DIA 12 DE JULHO. O CAPITÃO ESQUERDINHA FEZ O PRIMEIRO, EM UM RARO CHUTE DE PÉ DIREITO.

O TIME DE SOLICH CONTRARIAVA O JOGO CADENCIADO QUE PREVALECIA NO PAÍS. ERA COMPACTO E VELOZ. MAIS TRIANGULAÇÕES, MENOS DRIBLES E UM BOMBARDEIO DA LINHA OFENSIVA: JOEL, RUBENS, ÍNDIO, BENÍTEZ E ESQUERDINHA.

BENÍTEZ, IMPARÁVEL, EMPILHAVA GOLS. NO DIA 1º DE AGOSTO, NA GOLEADA POR 4 X 0 CONTRA O BONSUCESSO, O 10 PARAGUAIO FEZ OS QUATRO.

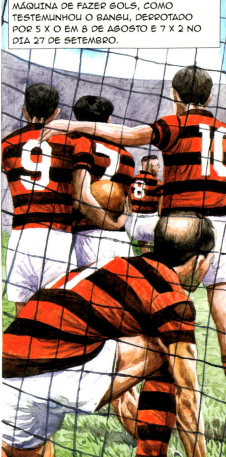

DO 7 AO 11, O FLAMENGO DE DON MANUEL AGUSTÍN FLEITAS SOLICH ERA UMA MÁQUINA DE FAZER GOLS, COMO TESTEMUNHOU O BANGU, DERROTADO POR 5 X 0 EM 8 DE AGOSTO E 7 X 2 NO DIA 27 DE SETEMBRO.

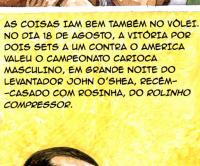

AS COISAS IAM BEM TAMBÉM NO VÔLEI. NO DIA 18 DE AGOSTO, A VITÓRIA POR DOIS SETS A UM CONTRA O AMERICA VALEU O CAMPEONATO CARIOCA MASCULINO, EM GRANDE NOITE DO LEVANTADOR JOHN O'SHEA, RECÉM-CASADO COM ROSINHA, DO *ROLINHO COMPRESSOR*.

O CAMPEONATO SE ESTENDEU ATÉ 1954 E, NO DIA 10 DE JANEIRO, COM GARCIA, SERVÍLIO, PAVÃO, MARINHO, DEQUINHA, JORDAN, JOEL, RUBENS, ÍNDIO, BENÍTEZ E ESQUERDINHA, O FLAMENGO SE CONSAGROU DIANTE DO VASCO.

SÓLIDO, VELOZ E OFENSIVO COMO QUERIA SOLICH, O CAMPEÃO DE 1953 BATEU O VASCO POR 4 X 1, SENDO GOLEADORES ESQUERDINHA, ÍNDIO E BENÍTEZ, ESTE DUAS VEZES, ARTILHEIRO MÁXIMO DA COMPETIÇÃO COM 22 GOLS.

DA CABINE DA RÁDIO GLOBO, LUIZ MENDES ANTECIPAVA A ANÁLISE QUE SE ESPALHARIA PELA IMPRENSA ESCRITA NOS DIAS SEGUINTES.

É PRECISO RECONHECER: DON FLEITAS SOLICH DEU-NOS UMA AULA. SEU IRRESISTÍVEL FLAMENGO APONTA O CAMINHO DO FUTURO. VAMOS AO GRAMADO COM O REPÓRTER GERALDO BORGES!

CAMPEÃO CONTRA O BOTAFOGO DE GENTIL CARDOSO, CONTRA O FLUMINENSE DE ZEZÉ MOREIRA E CONTRA O VASCO DE FLAVIO COSTA, SOLICH VIVIA UM MOMENTO DE CONSAGRAÇÃO.

SOLICH É CARREGADO EM TRIUNFO, MENDES! TODOS QUEREM ABRAÇAR DON FLEITAS!

NO VESTIÁRIO DO CAMPEÃO, A FELICIDADE DE FADEL FADEL, HOMEM FORTE DO FUTEBOL; DE RUBENS, MELHOR JOGADOR DO CAMPEONATO; DE SOLICH E DE GILBERTO CARDOSO. A BASE DAQUELE FLAMENGO ARRASADOR.

NO DIA 20 DE JANEIRO, ANTES DE VENCER O BOTAFOGO POR 1 X 0, O FLAMENGO DEU ADEUS A BIGUÁ, QUE ENTREGOU SUAS CHUTEIRAS A UM JUVENIL DE 16 ANOS, COMO SE CONFIASSE A ELE O SEU LEGADO. O GAROTO SE CHAMAVA CARLINHOS.

A DESPEDIDA DE BIGUÁ NÃO FOI A ÚNICA REVERÊNCIA AO PASSADO. OS TRICAMPEÕES DE 1944 DESFILARAM SOB APLAUSOS. À SUA FRENTE, CONDUZINDO O PAVILHÃO, GALO, 60 ANOS, AUTOR DO SEXTO GOL NO PRIMEIRO JOGO EM 1912 E BICAMPEÃO EM 1914 E 1915.

NA ENTREGA DAS FAIXAS, COUBE A ARY BARROSO CONDECORAR ÍNDIO, ATO ABENÇOADO PELO PADRE GÓES, VIGÁRIO DA IGREJA DE SÃO JUDAS TADEU, QUE CELEBRAVA AS MISSAS COM A CAMISA DO FLAMENGO SOB A BATINA.

PELADINHO, PERSONAGEM DO BALANÇA MAS NÃO CAI, DA RÁDIO NACIONAL, TAMBÉM ESTAVA EUFÓRICO. FOI ELE QUEM ALCUNHOU RUBENS DE "DOTÔ RÚBIS", POPULARIZOU A EXPRESSÃO "MENGO" E CRIOU UM BORDÃO COM ERRO DE CONCORDÂNCIA QUE CAIU NA BOCA DO POVO.

O BASQUETE TAMBÉM TINHA SUA PARTE NA ALEGRIA. NA NOITE DE 22 DE JANEIRO DE 1954, O TRICAMPEONATO CHEGOU DE MODO ANTECIPADO NOS 65 X 53 DIANTE DO FLUMINENSE. NO MÊS ANTERIOR, O FLAMENGO HAVIA DIVIDIDO O PRIMEIRO LUGAR DO SUL-AMERICANO DE CLUBES COM O SANTA FÉ, DA ARGENTINA, E COM O OLIMPIA, DO PARAGUAI, EM TORNEIO JOGADO NO CHILE.

EM 1954, O FLAMENGO VENCEU SEUS SETE PRIMEIROS JOGOS NO CAMPEONATO CARIOCA. NO DIA 15 DE OUTUBRO, A GÁVEA LOTOU PARA O TREINO QUE ANTECEDIA O CLÁSSICO CONTRA O VASCO. OS TITULARES PERDIAM POR 3 X 2 PARA OS ASPIRANTES, QUANDO BENÍTEZ SE LESIONOU. SOLICH ENTÃO MANDOU UM JOGADOR TROCAR DE CAMISA: DIDA.

EDVALDO ALVES DE SANTA ROSA, O DIDA, ERA UMA JOIA QUE O FLAMENGO BUSCARA NO FUTEBOL ALAGOANO. NAQUELA TARDE, ELE JÁ HAVIA MARCADO PELOS ASPIRANTES. E AO TROCAR DE TIME, FEZ O GOL DE EMPATE DOS TITULARES.

DIDA DIVIDIA O QUARTO NA CONCENTRAÇÃO COM BABÁ, PONTEIRO CANHOTO VINDO DO CEARÁ, DE FUTEBOL INVERSAMENTE PROPORCIONAL À SUA ALTURA DE POUCO MAIS DE UM METRO E MEIO. NA MANHÃ DO DOMINGO, 17 DE OUTUBRO, OS DOIS CONVERSAVAM SOBRE A EXPECTATIVA DO CLÁSSICO DE ASPIRANTES.

CHEGOU A SAIR NA IMPRENSA QUE EU ESTREARIA NO TIME PRINCIPAL HOJE, BABÁ, MAS DUVIDO.

MANTÉM O FOCO NOS ASPIRANTES, DIDA, JÁ VAI TER MAIS DE CEM MIL PESSOAS NA HORA DA PRELIMINAR.

A CONVERSA É INTERROMPIDA POR BRÍA, TÉCNICO DOS ASPIRANTES.

DON FLEITAS QUER FALAR COM VOCÊS DOIS NO QUARTO DELE IMEDIATAMENTE. JÁ LEVEM SUAS BOLSAS COM O MATERIAL DE JOGO.

QUANDO A DUPLA CHEGA AO QUARTO DE SOLICH, ZAGALLO TAMBÉM ESTÁ LÁ. ELE VINHA SENDO O SUBSTITUTO DE ESQUERDINHA, AFASTADO POR LESÃO.

BUENO, BENÍTEZ TEM FRATURA DUPLA NO PÉ. EVARISTO ESTÁ COM DESGASTE MUSCULAR. DIDA, VOCÊ SERÁ O 10. ZAGALLO, COMO VOCÊ E DIDA NÃO ATUARAM JUNTOS AINDA, JOGA O BABÁ PORQUE OS DOIS ESTÃO ENTROSADOS.

NA MARCHA RUMO AO BICAMPEONATO, EVARISTO JOGOU EM TODAS AS POSIÇÕES DO ATAQUE. ZAGALLO, NA PONTA ESQUERDA, ANUNCIAVA O FUTEBOL MODERNO: ATACAVA E VOLTAVA PARA MARCAR E PREFERIA A TABELA AO DRIBLE.

NA LATERAL DIREITA, O ALAGOANO TOMIRES, VINDO DA PORTUGUESA DE DESPORTOS, FOI DOMINANTE. O CANGACEIRO SE TORNARIA UMA LENDA RUBRO-NEGRA.

QUANDO JOEL SE CONTUNDIU GRAVEMENTE CONTRA O VASCO, SOLICH BUSCOU PAULINHO NOS ASPIRANTES PARA O DIFÍCIL JOGO DE 16 DE JANEIRO DE 1955, FORA DE CASA, CONTRA O MADUREIRA.

APESAR DO CAMPO ENLAMEADO, ELE DEU DUAS ASSISTÊNCIAS PARA ÍNDIO E MARCOU O TERCEIRO NA VITÓRIA POR 3 X 0 QUE VALEU A CONQUISTA DA PRIMEIRA ETAPA DO CAMPEONATO DE 1954, FORMADA PELOS DOIS TURNOS INICIAIS.

COM SOL OU CHUVA, O POVO DEIXA DE ALMOÇAR PARA ESTAR AQUI. POR ISSO, EM CAMPO, SÃO ONZE CAMISAS E UM SÓ CORAÇÃO QUE PULSA.

♪ RECORDAR É VIVER, COM FLAMENGO EU HEI DE VENCER... ♪

GILBERTO CARDOSO HAVIA TRANSFORMADO O FLAMENGO EM UMA POTÊNCIA ESPORTIVA. E TÃO MARCANTE QUANTO AS CONQUISTAS, ERA A SENSAÇÃO DE ONIPRESENÇA DO PRESIDENTE. CRUZAVA A CIDADE EM SEU *CADILLAC* PARA ESTAR JUNTO DOS ATLETAS EM TODAS AS MODALIDADES, POR QUEM ERA AMADO COMO NENHUM OUTRO PRESIDENTE.

A FESTA DA TEMPORADA DE 1954 NÃO FOI APENAS COM O BICAMPEONATO DO FUTEBOL. O BASQUETE MASCULINO CHEGOU AO QUARTO TÍTULO SEGUIDO. ALÉM DOS NOMES CONSAGRADOS, GUGUTA COMEÇAVA A SE DESTACAR.

JÁ O BASQUETE FEMININO CONQUISTOU O CAMPEONATO CARIOCA PELA PRIMEIRA VEZ, SOB A LIDERANÇA DA CESTINHA NÍVEA, QUE MARCOU 121 PONTOS NO CAMPEONATO – 40 DELES EM UM ÚNICO JOGO – E COM A PRESENÇA DE CARMEN GODINHO, ESTRELA DE DUAS MODALIDADES.

NO VÔLEI FEMININO, O *ROLINHO* RECONQUISTOU O TÍTULO DE MODO INVICTO. A MULTICAMPEÃ MARINA FOI UMA DAS ESTRELAS DA CAMPANHA ARRASADORA.

UM DOS MAIORES ATLETAS DA HISTÓRIA DO PAÍS, JOSÉ TELLES DA CONCEIÇÃO FOI AVASSALADOR NO CAMPEONATO CARIOCA DE ATLETISMO, VENCENDO AS PROVAS DE SALTO EM DISTÂNCIA, 100 METROS RASOS, SALTO EM ALTURA, 200 METROS RASOS E DECATLO.

EM 1955, O TRICAMPEONATO NO FUTEBOL VIROU UMA OBSESSÃO PARA OS RUBRO-NEGROS E PARA GILBERTO CARDOSO EM PARTICULAR. DEPOIS DE QUATRO VITÓRIAS INICIAIS, O TIME ENCAROU O BOTAFOGO NA QUINTA RODADA E PERDEU ÍNDIO LOGO NO COMEÇO: RUPTURA DOS LIGAMENTOS DO JOELHO DIREITO.

O FLAMENGO JÁ NÃO TINHA RUBENS, LESIONADO. NA PRELIMINAR DE ASPIRANTES, PERDERA O GOLEIRO CHAMORRO, COM FRATURA NA FACE. NERVOSO COMO NUNCA, GILBERTO CARDOSO DECIDIU NÃO VER O JOGO E FICOU EM UMA ANTESSALA DAS CABINES DE RÁDIO.

EM CAMPO, UM A MENOS, ALMA EM DOBRO. EM DUELO PARTICULAR, JORDAN LEVOU A MELHOR SOBRE GARRINCHA.

A NOVE MINUTOS DO FIM, DE UMA DISTÂNCIA DE 40 METROS, O INCANSÁVEL DEQUINHA MANDA DE CANHOTA: 1 X 0 COM GOSTO DE GOLEADA.

O GOLAÇO DE DEQUINHA SAIU NO EXATO MOMENTO EM QUE GILBERTO CARDOSO HAVIA CHEGADO ÀS CADEIRAS, "PARA VER SE A COISA ANDAVA OU NÃO". PARA A EUFORIA DO PRESIDENTE, A COISA ANDOU.

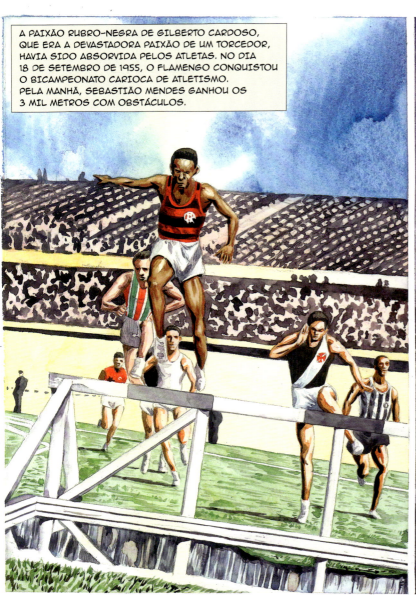

AO FINAL DOS DOIS PRIMEIROS TURNOS, O FLAMENGO ESTAVA UM PONTO À FRENTE DO VASCO NA CLASSIFICAÇÃO GERAL. SOLICH EXALTAVA A FORÇA DOS SUPLENTES, COMO O GOLEIRO CHAMORRO E PAULINHO, QUE ATUANDO NA MEIA FEZ OS DOIS GOLS NA VITÓRIA CONTRA O BOTAFOGO NA NOITE DE 4 DE FEVEREIRO, NA ÚLTIMA RODADA DO SEGUNDO TURNO.

FONTE DE RECURSOS PARA OS TITULARES, OS ASPIRANTES FORAM CAMPEÕES DA SUA CATEGORIA. O LATERAL JOUBERT, O MEIA MOACIR E O CENTROAVANTE HENRIQUE FAZIAM A TORCIDA CHEGAR MAIS CEDO PARA AS PRELIMINARES.

O TERCEIRO TURNO, DISPUTADO PELOS SEIS MELHORES DAS OUTRAS DUAS FASES, FICOU COM O AMERICA. O CAMPEONATO SERIA DECIDIDO ENTRE RUBROS E RUBRO-NEGROS EM UMA MELHOR DE TRÊS. ALÉM DE NÃO TER RUBENS, O FLAMENGO PERDEU TAMBÉM ÍNDIO. MAS EVARISTO JÁ ESTAVA DE VOLTA...

... E DECIDIU O PRIMEIRO CONFRONTO, NO DIA 25 DE MARÇO DE 1956, AOS 44 DO SEGUNDO TEMPO. UMA BOMBA DA MEIA DIREITA QUE ENCOBRIU POMPEIA: 1 X 0. O FLAMENGO ESTAVA A UM PASSO DO TRICAMPEONATO.

O FLAMENGO PODERIA TER SIDO TRICAMPEÃO NO SEGUNDO JOGO, MAS ACABOU GOLEADO POR 5 X 1. ANTES DA FINALÍSSIMA, DIA 4 DE ABRIL DE 1956, FOI TOMIRES QUEM TOMOU A PALAVRA.

VAMOS VENCER. VAMOS JOGAR POR QUEM NÃO PODE, POR ESSE POVO AÍ FORA, POR DOUTOR GILBERTO. NÃO VAMOS PERDER EM MINUTOS O QUE CUSTOU ANOS DE LUTA.

A DECISÃO ERA ASSUNTO DE NORTE A SUL DO PAÍS. MARACANÃ LOTADO. COM SERVÍLIO E DIDA NOS LUGARES DE JADYR E PAULINHO, OS RUBRO-NEGROS PISARAM O GRAMADO.

O FLAMENGO PRECISAVA VENCER NOS NOVENTA MINUTOS OU EMPATAR O JOGO E A PRORROGAÇÃO. ESTARIA O MARACANÃ DIANTE DE SEU PRIMEIRO TRICAMPEÃO?

CHAMORRO, SERVÍLIO, TOMIRES, PAVÃO, DEQUINHA, JORDAN, JOEL, DUCA, EVARISTO, DIDA E ZAGALLO. A RESPOSTA SERIA DADA POR ELES.

FOI A NOITE DE DIDA. COM A CAMISA 10, ELE FEZ OS QUATRO GOLS DA GOLEADA POR 4 X 1 NA JORNADA MAIS MEMORÁVEL DAS MUITAS QUE FARIAM DELE, POR MUITO TEMPO, O MAIOR ARTILHEIRO DO FLAMENGO.

FOI A NOITE DA LOUCURA. A TORCIDA DO FLAMENGO FEZ O MARACANÃ VIVER, NA NOITE DE 4 DE ABRIL DE 1956, A APOTEOSE QUE LHE FOI NEGADA NA TARDE DE 16 DE JULHO DE 1950.

FOI A NOITE DE FLEITAS SOLICH. A GRANDE ATUAÇÃO DE SEUS TRUNFOS, DIDA E SERVÍLIO, CONSOLIDAVA A SUA FAMA DE EL BRUJO, OU DE FEITICEIRO, COMO DIZIA O CARTUNISTA OTELO NAS TIRINHAS DO *JORNAL DOS SPORTS*.

E FOI A NOITE MAIOR DA REVERÊNCIA A GILBERTO CARDOSO. NA CABINE DA TV TUPI, AO LADO DE JOSÉ MARIA SCASSA, QUE CHORAVA SEM PARAR, ARY BARROSO FALOU COM A VOZ EMBARGADA.

DESCANSE EM PAZ, GILBERTO. O SEU FLAMENGO É TRICAMPEÃO...

A FESTA PELO TRICAMPEONATO ACONTECEU NO DIA 15 DE ABRIL. O FLAMENGO RECEBEU NO MARACANÃ O INTER, CAMPEÃO GAÚCHO, EM JOGO PRECEDIDO POR DESFILES DA MANGUEIRA, DA PORTELA E DA CHARANGA.

COM PAULINHO E EVARISTO NA SELEÇÃO, QUEM FOI AO MAIOR DO MUNDO VIU EM CAMPO UMA DUPLA DE ATAQUE QUE SE TORNARIA SINÔNIMO DE BOLAS NA REDE: DIDA E HENRIQUE.

DIDA ABRIU O PLACAR E DEPOIS TOCOU PARA HENRIQUE FAZER O SEGUNDO NA GOLEADA POR 4 X 1. SE DIDA SE TORNARIA O MAIOR ARTILHEIRO DO CLUBE, HENRIQUE, SEU MELHOR PARCEIRO, LOGO SERIA O SEGUNDO NA LISTA.

NO DIA 24 DE JUNHO DE 1956, OS TRICAMPEÕES BATERAM O BENFICA NA LUZ POR 2 X 1, CONQUISTANDO A TAÇA LATINA. FOI A TARDE DOS GOLEADORES HISTÓRICOS: EVARISTO E ÍNDIO MARCARAM PARA O FLAMENGO, E JOSÉ ÁGUAS PARA O BENFICA.

EM 27 DE OUTUBRO DE 1956, COM DIDA AFASTADO POR LESÃO NO JOELHO E HENRIQUE AINDA CUMPRINDO ESTÁGIO NOS ASPIRANTES, ÍNDIO MARCOU QUATRO GOLS NA PARTIDA CONTRA O SÃO CRISTÓVÃO.

JOGAVA-SE O SEGUNDO TURNO DO CAMPEONATO CARIOCA. EVARISTO TAMBÉM MARCOU QUATRO, INCLUINDO UM DE LETRA.

LOGO A DUPLA EVARISTO E ÍNDIO SERIA SUBSTITUÍDA POR DIDA E HENRIQUE, MAS, NAQUELA TARDE HISTÓRICA, SEUS OITO GOLS AJUDARAM O FLAMENGO A CONSTRUIR A MAIOR GOLEADA JÁ APLICADA NO MARACANÃ: 12 X 2.

"A RIGOR, EU NÃO SABERIA DIZER SE O FLAMENGO JOGOU BEM OU MAL. NEM IMPORTA. O QUE SEI É QUE ELE JOGOU COM A ALMA, O QUE EQUIVALE DIZER: JOGOU COM A CAMISA", ESCREVEU NELSON RODRIGUES, MAIS UM A PERDER A CONTA DOS GOLS NAQUELA TARDE.

EM 1956, JOSÉ TELLES DA CONCEIÇÃO FOI O MAIOR NOME DO TRICAMPEONATO CARIOCA – SÉRIE VITORIOSA QUE SEGUIRIA ATÉ O PENTA EM 1958. NO BASQUETE, O HEXACAMPEONATO CONFIRMOU A HEGEMONIA RUBRO-NEGRA, QUE CHEGARIA A DEZ TÍTULOS EM SEQUÊNCIA.

EM 1957, O FLAMENGO, DE EVARISTO, RECEBEU O LENDÁRIO HONVÉD, DE PUSKAS. OS HÚNGAROS SE RECUSAVAM A VOLTAR A SEU PAÍS, TOMADO PELAS FORÇAS ARMADAS SOVIÉTICAS.

A FIFA RECOMENDOU QUE NINGUÉM ENFRENTASSE OS REBELDES MAGIARES. O FLAMENGO COMPROU A BRIGA E FEZ CINCO JOGOS CONTRA O HONVÉD, A COMEÇAR PELA VITÓRIA POR 6 X 4 NA NOITE DE 19 DE JANEIRO, DIANTE DE QUASE 120 MIL PESSOAS NO MARACANÃ.

DEPOIS, O HONVÉD DEVOLVEU OS 6 X 4 NO PACAEMBU LOTADO E VENCEU POR 3 X 2 NO MARACANÃ. PARA FECHAR, DOIS JOGAÇOS NO ESTÁDIO OLÍMPICO DE CARACAS: 5 X 3 PARA O FLAMENGO NO PRIMEIRO E EMPATE POR 1 X 1 NO SEGUNDO. EVARISTO FOI O MELHOR DA SÉRIE, MARCANDO NOVE GOLS – SEUS ÚLTIMOS PELO FLAMENGO ANTES DE IR PARA O BARCELONA.

A CONTRATAÇÃO DE EVARISTO PELO BARCELONA FOI A MAIOR TRANSAÇÃO FINANCEIRA ENVOLVENDO UM JOGADOR BRASILEIRO ATÉ ENTÃO. E CINCO MESES DEPOIS DE SE APRESENTAR AOS BLAUGRANAS, ELE FOI O ANFITRIÃO DO FLAMENGO NA SÉRIE DE JOGOS QUE INAUGUROU O NOVO E ESPETACULAR ESTÁDIO DO BARÇA.

NO DIA 24 DE SETEMBRO DE 1957, EVARISTO FEZ UM DOS GOLS DA VITÓRIA DO BARCELONA CONTRA UM COMBINADO DE VARSÓVIA. NO DIA SEGUINTE, O FLAMENGO FEZ O SEGUNDO JOGO DO FESTIVAL DE INAUGURAÇÃO DO CAMP NOU, GOLEANDO O BURNLEY POR 4 X 0 – DIDA FEZ O PRIMEIRO, DE CABEÇA.

ZAGALLO FEZ O SEGUNDO, O TERCEIRO FOI CONTRA E HENRIQUE DRIBLOU TODA A DEFESA PARA FAZER O ÚLTIMO, SOB APLAUSOS, COROANDO UMA ATUAÇÃO DE GALA.

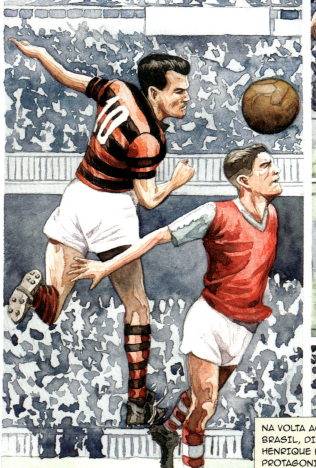

NA VOLTA AO BRASIL, DIDA E HENRIQUE FORAM OS PROTAGONISTAS DAS DUAS GOLEADAS POR 4 X 1 CONTRA O VASCO NO CAMPEONATO CARIOCA. O FLAMENGO JÁ NÃO TINHA EVARISTO, E PAULINHO E ÍNDIO HAVIAM SE TRANSFERIDO PARA O FUTEBOL PAULISTA, MAS OS NOVOS 9 E 10 MANTERIAM A FARTURA DE GOLS.

OS JOGOS MAIS EMBLEMÁTICOS DO PROCESSO DE RENOVAÇÃO DO FLAMENGO ACONTECERAM NO COMEÇO DE 1958. EM 31 DE JANEIRO, MOACIR CALOU A *BOMBONERA*, FAZENDO DOIS GOLS NA VITÓRIA POR 4 X 2 SOBRE O BOCA DE ANTONIO RATTÍN. FOI O PRIMEIRO TRIUNFO DE UM TIME BRASILEIRO NO MÍTICO ESTÁDIO.

DEPOIS, NO DIA 9 DE MARÇO, PELO TORNEIO RIO-SÃO PAULO, O SANTOS DE PELÉ RECEBEU NO PACAEMBU O FLAMENGO DE DIDA.

O SANTOS LOGO ABRIU 2 X 0, PEPE E PELÉ, E PARECIA ANUNCIAR UMA GOLEADA. TODAVIA, O FLAMENGO REAGIU E SE IMPÔS, COLETIVA E INDIVIDUALMENTE. NO MEIO, MOACIR GANHOU SEU DUELO COM ZITO.

HENRIQUE DESCONTOU, DIDA EMPATOU E, NO ÚLTIMO LANCE, DUCA CRAVOU A VIRADA, QUE NELSON RODRIGUES IMORTALIZOU COMO A VITÓRIA DA CAMISA: "NÃO CREIO QUE EXISTA, NO FUTEBOL BRASILEIRO, ALGO DE TÃO ATIVO, MILITANTE, IMBATÍVEL COMO A CAMISA RUBRO-NEGRA".

MAS AQUELE DOMINGO EM SÃO PAULO NÃO FOI RUBRO-NEGRO APENAS NO FUTEBOL. NAS PISTAS DO TIETÊ, O FLAMENGO LEVOU A ETAPA DO TROFÉU BRASIL DE ATLETISMO, COM ULISSES LAURINDO DOS SANTOS ABSOLUTO NOS 400 METROS COM BARREIRAS.

NO DOMINGO, 11 DE MAIO DE 1958, O FLAMENGO FEZ UM AMISTOSO COM A SELEÇÃO BRASILEIRA, DESFALCADO DE SEUS JOGADORES QUE SERVIAM A CBD E QUE IRIAM À SUÉCIA: JOEL, MOACIR, DIDA E ZAGALLO.

NO PRIMEIRO TEMPO, JOGANDO DE AMARELO, A SELEÇÃO PAROU EM UMA MARCAÇÃO SEVERA. GARRINCHA BUSCOU FUGIR DE JORDAN, MAS FOI PARADO POR JADYR.

A MELHOR CHANCE DO ESCRETE FOI EM CABEÇADA À QUEIMA-ROUPA DE PELÉ, QUE O GOLEIRO RUBRO-NEGRO FERNANDO DESVIOU COM A PONTA DOS DEDOS PARA A BOLA ESTOURAR NO TRAVESSÃO.

NO SEGUNDO TEMPO, O BRASIL VOLTOU DE AZUL E LEVOU O ÚNICO GOL LOGO AOS SEIS MINUTOS. O ESTREANTE MANOELZINHO GINGOU DIANTE DE BELLINI E BATEU DE FORA DA ÁREA PARA SUPERAR GILMAR.

E FOI ASSIM QUE O ESTREANTE MANOELZINHO CONSEGUIU O QUE NENHUMA SELEÇÃO EUROPEIA FARIA NOS CAMPOS SUECOS: MARCAR UM GOL QUE DERRUBOU A SELEÇÃO BRASILEIRA QUE ENCANTOU O MUNDO.

E FOI PELO RÁDIO QUE OS MILHÕES DE RUBRO-NEGROS VIBRARAM COM A ÚLTIMA GRANDE CONQUISTA DA DÉCADA, A MAIS GLORIOSA DO CLUBE ATÉ ENTÃO.

A CONTINENTAL JÁ FALA DIRETO DE LIMA. EU, CARLOS MARCONDES, REPORTAREI TODOS OS DETALHES DA PARTICIPAÇÃO DO FLAMENGO NA GRAN SERIES SUDAMERICANA CONTRA OS CAMPEÕES DO CONTINENTE...

DEPOIS DE ESTREAR PERDENDO PARA O PEÑAROL POR 2 X 0, O FLAMENGO NÃO PODIA MAIS TROPEÇAR. NA NOITE DE 25 DE JANEIRO, VEIO A PRIMEIRA VITÓRIA: 2 X 0 NO UNIVERSITARIO, GOLS DE MILTON COPOLILLO E DIDA.

TRÊS DIAS MAIS TARDE, O ADVERSÁRIO FOI O COLO-COLO. DIDA E MOACIR FIZERAM OS DOIS PRIMEIROS GOLS, ABRINDO O CAMINHO PARA UMA VITÓRIA TRANQUILA.

BABÁ, O MELHOR DA CANCHA, FEZ MAIS DOIS E ABRIU 4 X 0 AINDA NO PRIMEIRO TEMPO. O COLO-COLO MARCOU DUAS VEZES NA ETAPA FINAL, MAS SEM AMEAÇAR A SUPERIORIDADE RUBRO-NEGRA.

EM 3 DE FEVEREIRO, UM DIDA ILUMINADO FEZ DOIS E COMANDOU A GOLEADA POR 4 X 1 SOBRE O RIVER PLATE, MAS SAIU LESIONADO E DESFALCARIA O TIME NA ÚLTIMA E DECISIVA RODADA.

NA NOITE DE 6 DE FEVEREIRO, TRINTA MIL PESSOAS ENTRARAM EM ÊXTASE NO ESTÁDIO NACIONAL DE LIMA, QUANDO VÍCTOR PITÍN ZEGARRA ABRIU 3 X 0 PARA O ALIANZA CONTRA O FLAMENGO AOS 10 DO SEGUNDO TEMPO. OS PERUANOS TINHAM UMA MÃO E MEIA NA TAÇA.

PORÉM, LOGO APÓS O RECOMEÇO, MANOELZINHO ENTROU EM ESTADO DE FÚRIA E FEZ TRÊS GOLS EM CINCO MINUTOS. AOS 15, O PLACAR MARCAVA 3 X 3 E A PLATEIA ESTAVA ATÔNITA.

AOS 18 MINUTOS, MANOELZINHO QUASE FEZ SEU QUARTO GOL, MAS O GOLEIRO RODOLFO BAZÁN DEU REBOTE E HENRIQUE ENTROU RÁPIDO PARA FAZER DO FLAMENGO O CAMPEÃO DA GRAN SERIES SUDAMERICANA.

SOLICH, NA MESMA CANCHA ONDE HAVIA SIDO CAMPEÃO SUL-AMERICANO COM O PARAGUAI, FAZIA O CONTINENTE REVERENCIAR O FLAMENGO UM ANO ANTES DA CRIAÇÃO DA TAÇA LIBERTADORES DA AMÉRICA.

OUTRO GRANDE MOMENTO DE 1959 FOI NO VÔLEI MASCULINO. NO DIA 11 DE JUNHO, COMANDADO POR JOHN O'SHEA, O FLAMENGO BATEU O FLUMINENSE POR 3 X 2. O TIME FEMININO, INCLUINDO ROSINHA, ESPOSA DE JOHN, INVADIU A QUADRA PARA COMEMORAR.

EMOCIONADO, JOHN FALOU SOBRE O QUE O MOTIVAVA A CONTINUAR JOGANDO:

"SÃO 12 ANOS DEFENDENDO O FLAMENGO E DIZEM QUE SOU BURRO POR QUE NÃO GANHO NADA. EU GANHO A HONRA DE VESTIR ESSA CAMISA. EU E MINHA ESPOSA. FIZ MINHA FAMÍLIA NO FLAMENGO. ENQUANTO MEU CORPO AGUENTAR, ESTAREI AQUI."

NO FUTEBOL, O FLAMENGO PERDEU FLEITAS SOLICH PARA O REAL MADRID, MAS 1959 AINDA RESERVAVA UM MOMENTO HISTÓRICO. GÉRSON DE OLIVEIRA NUNES, DESTAQUE DO TIME JUVENIL, FAZIA SEU PRIMEIRO JOGO E SEU PRIMEIRO GOL PELO TIME PROFISSIONAL NA VITÓRIA POR 2 X 1 CONTRA O RIVER PLATE, NO DIA 22 DE DEZEMBRO.

EM 1960, O FLAMENGO CONTINUOU REINANDO NAS QUADRAS. O BICAMPEONATO DE VÔLEI MASCULINO VEIO COM JOHN O'SHEA LEVANTANDO PARA AS CORTADAS DE FEITOSA, NA VITÓRIA POR 3 X 0 CONTRA O BOTAFOGO, NO DIA 13 DE JUNHO.

NO BASQUETE, A FESTA DE GALA FOI NO DIA 25 DE NOVEMBRO. COM A VITÓRIA POR 63 X 42 DIANTE DO TIJUCA NAS LARANJEIRAS, O FLAMENGO CONQUISTOU O DECACAMPEONATO. WALDIR BOCCARDO E BARONE FORAM OS MAIORES PONTUADORES.

PARA FECHAR O CAMPEONATO DE MODO INVICTO, O FLAMENGO AINDA VENCEU O FLUMINENSE QUATRO DIAS DEPOIS, E ALGODÃO ANUNCIOU QUE ENCERRAVA ALI SUA CARREIRA DE ATLETA.

NO COMEÇO DA DÉCADA, A TORCIDA VIU A AFIRMAÇÃO DE NOVOS CRAQUES, COMO CARLINHOS, O GAROTO QUE HAVIA RECEBIDO AS CHUTEIRAS DE BIGUÁ, E GÉRSON. NO FINAL DE 1960, COM SOLICH DE VOLTA, OS DOIS SE TORNARIAM TITULARES.

PARA ABRIR 1961, O FLAMENGO DISPUTOU O TORNEIO OCTOGONAL SUL-AMERICANO, ENFRENTANDO ADVERSÁRIOS BRASILEIROS, ARGENTINOS E URUGUAIOS. NA PENÚLTIMA RODADA, NO DIA 22 DE JANEIRO, VITÓRIA POR 1 X 0 CONTRA O NACIONAL, EM MONTEVIDÉU, GOL DE BABÁ.

QUATRO DIAS DEPOIS, NO MESMO CENTENÁRIO, O FLAMENGO ENCAROU OS URUGUAIOS DO CERRO, ATÉ ENTÃO LÍDERES DO TORNEIO. GÉRSON MARCOU OS DOIS GOLS DA VITÓRIA POR 2 X 0 E DO NOVO TÍTULO EM GRAMADOS SUL-AMERICANOS.

O DESAFIO SEGUINTE FOI O TORNEIO RIO-SÃO PAULO. O TIME FOI PERFEITO NO QUADRANGULAR FINAL. NO DIA 16 DE ABRIL, O REPATRIADO JOEL ABRIU OS TRABALHOS COM UM GOLAÇO DE BICICLETA NO MARACANÃ CONTRA O PALMEIRAS.

OS PAULISTAS CHEGARAM AO EMPATE, MAS DIDA ENCAMINHOU A VITÓRIA EM LANCE DE OPORTUNISMO.

UM CANHOTAÇO DE GÉRSON, SEM CHANCE PARA VALDIR DE MORAIS, FECHOU A CONTA: FLAMENGO 3 X 1 PALMEIRAS.

NO MEIO DE SEMANA, TRÊS GOLS DE GÉRSON E DOIS DE DIDA – O MAIS BONITO, LEVANDO DE VENCIDA A DEFESA SANTISTA – LIQUIDARAM O CAMPEÃO PAULISTA: 5 X 1 EM PLENO PACAEMBU.

NA ÚLTIMA RODADA, O FLAMENGO RECEBEU O CORINTHIANS. NO SEGUNDO TEMPO, JOEL APROVEITOU UM CRUZAMENTO VINDO DA ESQUERDA E ABRIU O CAMINHO PARA O TÍTULO COM UMA CABEÇADA.

QUINZE MINUTOS DEPOIS, HENRIQUE GANHOU O FUNDO PELA DIREITA E ROLOU PARA DIDA TOCAR DE CHAPA. ERA O GOL DO TÍTULO, MARCADO PELO MAIOR ARTILHEIRO DA HISTÓRIA RUBRO-NEGRA.

ENTRE OS QUE FESTEJAVAM, EM UMA DAS CADEIRAS PERPÉTUAS DE SEU PAI, ESTAVA O PEQUENO ARTHURZICO, QUE JÁ RABISCAVA COM A BOLA NO PÉ NAS PELADAS DE QUINTINO.

GOOOOOOOOOL! GOOOL DO DIDA!

NA FESTA NO GRAMADO ESTAVA O VETERANO GALLO, HERÓI DE 1912, REPRESENTANDO O FLAMENGO MAIS PROFUNDO. SOLICH ERA ACOMPANHADO POR CRIAS SUAS DE DIFERENTES GERAÇÕES: O LATERAL JOUBERT, O ATACANTE DIDA, O MEIA GÉRSON. E COM ZICO NA PLATEIA, O FLAMENGO ESTAVA INTEIRO ALI, PASSADO, PRESENTE E FUTURO.

EM 29 DE SETEMBRO DE 1961, O FLAMENGO CHEGOU AO TRICAMPEONATO CARIOCA DE VÔLEI MASCULINO, SUPERANDO O BOTAFOGO. UM DOS DESTAQUES FOI ZÉ CARLOS, FILHO DO ÁRBITRO MÁRIO VIANNA.

NO ATLETISMO, A POSSE DEFINITIVA DO III TROFÉU BRASIL VEIO NA ETAPA DISPUTADA EM OUTUBRO DE 1961, EM SÃO PAULO. A GAÚCHA ÉRICA LOPES VOOU BAIXO NOS 100 METROS RASOS E DEU INÍCIO À SUA FABULOSA TRAJETÓRIA RUBRO-NEGRA.

NO BASQUETE, COM A AUSÊNCIA DE ALGODÃO E KANELA, O PRIMEIRO APOSENTADO DAS QUADRAS E O SEGUNDO TREINANDO NO URUGUAI, O FLAMENGO NÃO FOI BEM. MAS EM 1962, KANELA REASSUMIU O SEU POSTO.

ATENDENDO A PEDIDO DE KANELA, ALGODÃO VOLTOU ÀS QUADRAS. COM A DUPLA DO DECACAMPEONATO, O FLAMENGO CONQUISTOU O TÍTULO DE 1962 DE MODO INVICTO.

MAS NÃO FOI SÓ NO BASQUETE QUE VELHOS CONHECIDOS VOLTARAM AO CLUBE. NO FUTEBOL, EM UMA DECISÃO POLÊMICA, O ENTÃO PRESIDENTE FADEL FADEL SUBSTITUIU FLEITAS SOLICH POR FLAVIO COSTA.

NO DIA 17 DE FEVEREIRO DE 1963, O FLAMENGO BATEU O SÃO PAULO POR 2 X 0 PELO TORNEIO RIO-SÃO PAULO, DOIS GOLS DE DIDA. O PRIMEIRO FOI ANTOLÓGICO: O CAMISA 10 RECEBEU PASSE DA DIREITA E MARCOU DE CALCANHAR.

O MARACANÃ VEIO ABAIXO. O QUE NINGUÉM PODERIA IMAGINAR É QUE AQUELA SERIA UMA DAS ÚLTIMAS COMEMORAÇÕES DE DIDA COM A MASSA RUBRO-NEGRA.

DURANTE O CAMPEONATO ESTADUAL, FLAVIO COSTA ENTRARIA EM ATRITO COM GÉRSON E DIDA, E AFASTARIA OS DOIS CRAQUES DO TIME, APOIADO POR FADEL FADEL. NA BUSCA POR UM TÍTULO QUE NÃO CONQUISTAVA DESDE 1955, O FLAMENGO SE VIA SEM OS DOIS JOGADORES MAIS AMADOS PELA TORCIDA.

E EU EXIJO DISCIPLINA, O COMANDO É MEU, A RESPONSABILIDADE É MINHA E AS ORDENS SERÃO CUMPRIDAS.

TRÊS FIGURAS FORAM FUNDAMENTAIS PARA BLINDAR O TIME DA TURBULÊNCIA. O VICE-PRESIDENTE GUNNAR GÖRANSSON E DOIS HOMENS DA EXTREMA CONFIANÇA DE FLAVIO COSTA: CANEGAL, AUXILIAR DIRETO DO TREINADOR, E VALIDO, HERÓI DE 1944, TORNADO DIRETOR DE FUTEBOL POR FADEL FADEL.

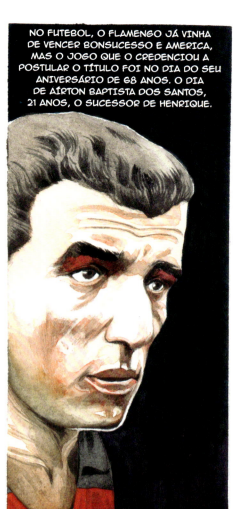

NO FUTEBOL, O FLAMENGO JÁ VINHA DE VENCER BONSUCESSO E AMERICA, MAS O JOGO QUE O CREDENCIOU A POSTULAR O TÍTULO FOI NO DIA DO SEU ANIVERSÁRIO DE 68 ANOS. O DIA DE AÍRTON BAPTISTA DOS SANTOS, 21 ANOS, O SUCESSOR DE HENRIQUE.

DEPOIS DE ESTAR PERDENDO PARA O VASCO POR 2 X 0 E 3 X 2, OS RUBRO-NEGROS HAVIAM CHEGADO AO EMPATE EM 3 X 3. MAS ERA PRECISO VENCER. QUANDO FALTAVAM 15 MINUTOS, AÍRTON RECEBEU PELA DIREITA, ERGUEU DE CALCANHAR E EMENDOU DE VOLEIO.

VIOLENTAMENTE, O ARREMATE IRROMPEU NO ÂNGULO DIREITO DA META CRUZ-MALTINA. UM GOL CINEMATOGRÁFICO DE AÍRTON, O SEU TERCEIRO NAQUELA TARDE, O GOL QUE BOTOU O FLAMENGO NA BRIGA PELO TÍTULO.

NO DIA 24 DE NOVEMBRO, DIANTE DE QUASE 100 MIL PESSOAS, A VÍTIMA FOI O LÍDER BANGU: 3 X 1. JOSÉ ARMANDO UFARTE VENTOSO, O ESPANHOL, MARCOU O SEGUNDO GANHANDO NO ALTO DO GOLEIRO UBIRAJARA MOTA E CABECEANDO DE COSTAS PARA O GOL.

A VITÓRIA POR 2 X 1 CONTRA O SÃO CRISTÓVÃO NO SÁBADO, 30 DE NOVEMBRO, COMEÇOU COM O GOL ESPETACULAR DE ESPANHOL, MERGULHANDO PARA FAZER DE CABEÇA APÓS CRUZAMENTO VINDO DA ESQUERDA.

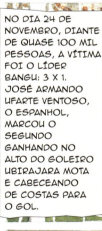

NA PENÚLTIMA RODADA, ENQUANTO O FLUMINENSE FEZ 3 X 1 NO BANGU, OS RUBRO-NEGROS VENCERAM O OLARIA NA BARIRI POR 2 X 1, GOLS DE CARLINHOS E NELSINHO, E TOMARAM A LIDERANÇA DO CAMPEONATO.

APÓS SEIS VITÓRIAS CONSECUTIVAS, OS RUBRO-NEGROS CHEGARAM À ÚLTIMA RODADA PRECISANDO EMPATAR PARA SOLTAR O GRITO DE CAMPEÃO. 15 DE DEZEMBRO DE 1963. FRENTE A FRENTE, O FLA DE FLÁVIO COSTA CONTRA O FLU DE... FLEITAS SOLICH.

OS REGISTROS OFICIAIS APONTAM UM PÚBLICO DE 194.603 PESSOAS. A REVISTA *MANCHETE* E ALGUNS JORNAIS AFIRMARAM QUE A PLATEIA REAL PASSOU DE 210 MIL TORCEDORES. NÃO CABIA MAIS NINGUÉM NO MARACANÃ.

ESPREMIDO NO SETOR DAS CADEIRAS, ZICO, 10 ANOS DE IDADE, ESTAVA PRESTES A VIVER SEU FLA-FLU INESQUECÍVEL COMO TORCEDOR.

NA GERAL, ONDE FOI PARAR DIANTE DA SUPERLOTAÇÃO, JUNIOR, UM ANO MAIS NOVO QUE ZICO, PRECISOU ASSISTIR AO JOGO NOS OMBROS DO PAI, SEU GILDO. OS DOIS MENINOS NÃO TINHAM COMO IMAGINAR QUE UM DIA SERIAM PERSONAGENS ETERNOS DO FLA-FLU.

NAQUELE SÁBADO, MUITO ANTES DE ZICO E JUNIOR SE TORNAREM AMIGOS E O MELHOR COMPLEMENTO UM DO OUTRO NOS GRAMADOS, O FLAMENGO POSOU PARA A FOTO COM O MASSAGISTA LUIZ LUZ E MURILO, MARCIAL, ANANIAS, LUÍS CARLOS, CARLINHOS, PAULO HENRIQUE, ESPANHOL, NELSINHO, AÍRTON, GERALDO E OSVALDO PONTE AÉREA.

A EMOÇÃO DE FLAVIO TAMBÉM SE VIA EM CARLINHOS E PAULO HENRIQUE, ESTE EM SEU PRIMEIRO ANO DE TITULAR.

MURILO, UM SÍMBOLO DA RAÇA DO TIME, ERGUEU OS BRAÇOS PARA O CÉU E FOI ABRAÇADO POR VALIDO.

A IMAGEM MAIS REPRODUZIDA EM JORNAIS E REVISTAS SERIA A DE ESPANHOL SENDO CARREGADO NOS OMBROS POR TORCEDORES. SEUS DRIBLES, ARRANCADAS E GOLS HAVIAM SIDO DECISIVOS NA ARRANCADA FINAL.

SOMOS CAMPEÕES DE TERRA E MAR, MEU PRESIDENTE...

DEPOIS DE PERCORRER AS COMEMORAÇÕES, UM POUCO ANTES DA MEIA-NOITE, FADEL FADEL FOI ATÉ A ESTÁTUA DE BRONZE DE GILBERTO CARDOSO, INSTALADA NA GÁVEA DOIS ANOS ANTES. ÀS LÁGRIMAS, ELE COLOCOU UMA BANDEIRA NAS MÃOS DA ESCULTURA E FEZ A ÚLTIMA HOMENAGEM DO DOMINGO.

EM 1964, O FLAMENGO GANHOU O *TROFEO NARANJA*, BATENDO O VALENCIA EM PLENO MESTALLA POR 3 X 1. ESPANHOL FEZ O GOL DO TÍTULO, QUE TAMBÉM SERIA O SEU ÚLTIMO PELO CLUBE, ANTES DE SEGUIR PARA O ATLÉTICO DE MADRID.

EM UMA ETAPA DO IV TROFÉU BRASIL, DISPUTADA EM AGOSTO, EM SÃO CAETANO DO SUL, O FLAMENGO CELEBROU AS ESPERADAS VITÓRIAS DE JOSÉ TELLES DA CONCEIÇÃO E ÉRICA LOPES, MAS A MAIOR PONTUAÇÃO INDIVIDUAL VEIO COM MARIA DE LOURDES CONCEIÇÃO, NOS ARREMESSOS DE PESO E DISCO.

NO BASQUETE, KANELA FOI SUSPENSO PELA FEDERAÇÃO, POR QUEM SE JULGAVA PERSEGUIDO. PORÉM, COMO PARTICIPAVA DE UM PROGRAMA ESPORTIVO NA RÁDIO GUANABARA, O TREINADOR SE CREDENCIOU PARA A DECISÃO CONTRA O VASCO COMO RADIALISTA. DA ARQUIBANCADA, COMANDOU O TIME PELO TRANSMISSOR.

A PARTIDA FOI NO DIA 17 DE JULHO DE 1964, NO MARACANÃZINHO. O VASCO CHEGOU A LIDERAR NO SEGUNDO TEMPO POR 37 X 29, MAS, NOS SEGUNDOS FINAIS, COQUEIRO FEZ A INFILTRAÇÃO E DE BANDEJA DEU O TÍTULO AO FLAMENGO: 50 X 49.

NO BASQUETE FEMININO, O FLAMENGO CHEGOU AO TÍTULO CONDUZIDO POR NORMINHA, VENCENDO O BOTAFOGO POR 65 X 64 NO GINÁSIO DO MUNICIPAL, EM 9 DE OUTUBRO.

ANGELINA BIZARRO, CESTINHA DO CAMPEONATO, FOI QUEM CORTOU A REDE ONDE CAIU A BOLA DECISIVA, ARREMESSADA POR ELA. FOI O PRIMEIRO TÍTULO DO MELHOR TIME DE BASQUETE FEMININO DA HISTÓRIA DO FLAMENGO.

O BASQUETE FEMININO RUBRO-NEGRO, JÁ UMA REFERÊNCIA NACIONAL, CONQUISTOU DOIS TORNEIOS EXPRESSIVOS NO PERU EM MARÇO E ABRIL DE 1966, SUPERANDO ADVERSÁRIOS COMO COLO-COLO, OLIMPIA E BOCA JUNIORS, COM ATUAÇÕES PERFEITAS DE MARLENE.

A EQUIPE CONQUISTOU TAMBÉM O TORNEIO DAS ESTRELAS DISPUTADO EM PIRACICABA, PASSANDO POR FORÇAS DO BASQUETE FEMININO PAULISTA E AINDA PELO BOTAFOGO. NA FINAL, DIA 17 DE JULHO, 77 X 67 CONTRA O PIRELLI DE SANTO ANDRÉ, PARA A VIBRAÇÃO DE NORMINHA.

NO DIA 30 DE OUTUBRO, O FLAMENGO IA PERDENDO PARA O BANGU POR 1 X 0, SOB TEMPESTADE. JÁ NA RETA FINAL, SILVA EMPATOU, MAS FOI EXPULSO LOGO DEPOIS. QUASE NO FINAL, ALMIR ACERTOU UM PEIXINHO FULMINANTE QUE PARECIA GOL CERTO.

PORÉM, UBIRAJARA MOTA DEFENDEU E A BOLA PAROU NA LAMA, SOBRE A LINHA, COM ALMIR CAÍDO. O LANCE PARECIA MAIS PARA O GOLEIRO, MAS ALMIR SE ARRASTOU E METEU A CARA NO BARRO PARA FAZER O GOL.

QUEM ESTAVA NO MARACANÃ, LEMBRA O ESTADO DE DELÍRIO QUE TOMOU CONTA DA ARQUIBANCADA. COM UM A MENOS, NA CARA E NA CORAGEM, UM GOL DO FLAMENGO EM ESTADO BRUTO.

APENAS DOIS DIAS DEPOIS, OUTRO GOL ETERNO. NA NOITE DE 1º DE NOVEMBRO DE 1966, A ARGENTINA VENCIA O FLAMENGO POR 1 X 0 EM AVELLANEDA, MAS SILVA CALOU O ESTÁDIO DO INDEPENDIENTE COM UM MERGULHO ESPETACULAR E DEFINIU O MARCADOR.

SEM SILVA E ALMIR, O ATAQUE DO FLAMENGO EM 1967 FOI MARCADO PELA AFIRMAÇÃO DE JOÃO BATISTA DE SALES, O FIO, ORIUNDO DOS ASPIRANTES.

TAMBÉM FOI O ANO EM QUE O EXÍMIO CABECEADOR DIONÍSIO MARCOU 27 GOLS EM 22 JOGOS NA CONQUISTA DO CAMPEONATO DE JUVENIS, E SUBIU PARA O TIME PRINCIPAL. TEMPOS DE POUCO DINHEIRO E MUITA RAÇA.

RAÇA QUE TAMBÉM NÃO FALTAVA PARA AS MENINAS DO BASQUETE. EM SETEMBRO DE 1967, ELAS VOLTARAM A CONQUISTAR O TORNEIO DAS ESTRELAS, EM PIRACICABA, SUPERANDO O SPARTA, DE PRAGA.

FOI A ÚLTIMA CONQUISTA DO MAIOR TIME DE BASQUETE FEMININO DO FLAMENGO, QUE ETERNIZOU EM VERMELHO E PRETO OS NOMES DE NORMINHA, ANGELINA, MARLENE, DELCY, AMELINHA, DIDI, ÁTILA, REGINA, IVANIRA, MIRTES, CÉLIA, ENI, NADIR, DORANITA E MARIA HELENA.

NO MESMO MÊS, POR INFLUÊNCIA DO RADIALISTA CELSO GARCIA, QUE O VIRA JOGANDO FUTEBOL DE SALÃO EM QUINTINO, E COM O APOIO DO DIRETOR GEORGE HELAL, CHEGOU AO FLAMENGO UM GAROTO FRANZINO COM NOME DE REI: ARTHUR.

NO COMEÇO DE 1968, DEPOIS DE TREINAR ATÉ EM CATEGORIAS ACIMA DA SUA IDADE, O PEQUENO ARTHUR – OU ZICO, COMO JÁ ERA CHAMADO – FOI INCORPORADO AO TIME DA ESCOLINHA PARA GAROTOS NASCIDOS A PARTIR DE 1953.

NA MANHÃ DE SÁBADO, 10 DE FEVEREIRO, ZICO JOGOU PELA PRIMEIRA VEZ COM A CAMISA DO FLAMENGO: UM AMISTOSO NA GÁVEA CONTRA O EVEREST, DE INHAÚMA.

LOGO NO COMEÇO, ZICO FOI LANÇADO PELO ZAGUEIRO DIAS, INVADIU PELA DIREITA E TOCOU NA SAÍDA DO GOLEIRO PARA MARCAR SEU PRIMEIRO GOL RUBRO-NEGRO.

APÓS O JOGO, ZICO PROCUROU POR SEU IRMÃO ANTUNES, O ZECA, QUE ASSIM COMO OUTRO DE SEUS IRMÃOS, EDU, ERA PROFISSIONAL NO AMERICA. O RECADO FOI PROFÉTICO:

"GAROTO, VOCÊ CHEGOU, JÁ VIU E VAI VENCER."

NA ETAPA FINAL, DE PÊNALTI, ZICO BALANÇOU A REDE OUTRA VEZ. O FLAMENGO VENCEU POR 4 X 3 E O GAROTO LOURINHO E MIRRADO HAVIA SIDO O MELHOR EM CAMPO.

COM O TIME PRINCIPAL, O FLAMENGO VIVEU SEUS MELHORES MOMENTOS DE 1968 NO EXTERIOR, COMO NO DIA 21 DE AGOSTO, EM BARCELONA, NO TORNEIO JOAN GAMPER. SILVA, DE VOLTA DO CLUBE, LEVANTOU O CAMP NOU AO BALANÇAR A REDE DO ATHLETIC BILBAO COM UMA BICICLETA MAGNÍFICA.

NA NOITE DE 27 DE AGOSTO, EM PORTUGAL, O FLAMENGO CONQUISTOU O TROFÉU RESTELO AO BATER, DE VIRADA, O BELENENSES POR 3 X 2. LIMINHA FEZ O GOL DECISIVO A UM MINUTO DO FIM.

DE PORTUGAL O FLAMENGO FOI AO MARROCOS, DISPUTAR A *COUPE MOHAMMED V*. DEPOIS DE DERROTAR OS MARROQUINOS DO REAL FORÇA AÉREA, ERA CHEGADA A HORA DA GRANDE FINAL CONTRA OS ARGENTINOS DO RACING, DE SALOMONE, ENTÃO CAMPEÃO MUNDIAL DE CLUBES.

CASABLANCA, 1º DE SETEMBRO DE 1968. O FLAMENGO SAIU PERDENDO, MAS EM UMA EXIBIÇÃO DE PURA VALENTIA, DERRUBOU O FAVORITO RACING POR 3 X 2, COM SILVA FUZILANDO CEJAS NO TENTO DECISIVO.

JÁ ERA NOITE NO STADE D'HONNEUR QUANDO O REI HASSAN II DE MARROCOS ENTREGOU A RIQUÍSSIMA *COUPE MOHAMMED V* A PAULO HENRIQUE. O FLAMENGO, NO PEITO E NA RAÇA, FICOU COM OS APLAUSOS E COM A GLÓRIA QUE ESTAVAM RESERVADOS AO RACING EM CASABLANCA. YOU MUST REMEMBER THIS...

A ATUAÇÃO DE ZICO QUE DERRUBOU O BOTAFOGO NOS JUVENIS FOI ACOMPANHADA PELO NOVO TREINADOR DO TIME PRINCIPAL, QUE PASSARIA A PREPARAR A ASCENSÃO DO GAROTO DE QUINTINO: MANUEL AGUSTÍN FLEITAS SOLICH.

DEZESSETE ANOS DEPOIS DE TER LANÇADO O JOVEM DIDA COMO TITULAR CONTRA O VASCO, DON FLEITAS DEU A ZICO A CAMISA 9 PARA O CLÁSSICO DE 29 DE JULHO DE 1971, PELA TAÇA GUANABARA.

EL BRUJO NÃO HAVIA PERDIDO A MÃO. OS RUBRO-NEGROS BATERAM O VASCO POR 2 X 1 – MESMO PLACAR DA ESTREIA DE DIDA EM 1954 – COM ZICO DANDO O PASSE PARA NEI MARCAR O PRIMEIRO E COMEMORANDO COM FIO O GOL DA VITÓRIA NO ÚLTIMO MINUTO.

AINDA EM 1971, DURANTE O CAMPEONATO BRASILEIRO, ZICO FEZ SEUS DOIS PRIMEIROS GOLS COMO PROFISSIONAL. NO EMPATE POR 1 X 1 CONTRA O BAHIA, NA NOITE DE 11 DE AGOSTO NA FONTE NOVA, ELE DESLOCOU O GOLEIRO APÓS DESVIO DE CABEÇA DE ZÉ EDUARDO.

NO DIA 17 DE OUTUBRO, EM OUTRO EMPATE POR 1 X 1, TAMBÉM FORA DE CASA, ZICO FEZ UM GOL ANTOLÓGICO CONTRA O SANTA CRUZ. DEPOIS DE INTERCEPTAR UMA BOLA NO MEIO DE CAMPO, ELE VIU O GOLEIRO DETINHO ADIANTADO E MANDOU POR COBERTURA.

DETINHO SE ESTICOU EM VÃO E, QUANDO CAIU NO CHÃO, A BOLA JÁ ESTAVA NA REDE, COM ZICO COMEMORANDO PELA PRIMEIRA VEZ UM GOL QUE PELÉ NÃO FEZ.

DEPOIS DE LONGO TEMPO SEM CONTRATAÇÕES DE IMPACTO, O FLAMENGO SACUDIU O FUTEBOL DO RIO EM 1972. ZAGALLO SERIA O NOVO TREINADOR E CHEGOU APRESENTANDO UM NOVO CAMISA 10: PAULO CÉZAR CAJU.

> BEM-VINDO, PC. VOCÊ PRECISA SER CAMPEÃO PELO FLAMENGO COMO EU FUI.

> ME SENTI EM CASA AO PASSAR POR ESSE PORTÃO, ZAGALLO. JOGUEI FUTEBOL DE SALÃO AQUI, E VOU REALIZAR MEU SONHO DE COMEMORAR UM GOL COM ESSA MASSA.

COM A IMINENTE VOLTA DE DOVAL, QUE HAVIA SIDO EMPRESTADO AO HURACÁN DEPOIS SE DESENTENDER COM YUSTRICH, ZAGALLO OPTOU POR DEIXAR ZICO NOS JUVENIS, ONDE SERIA TREINADO POR MODESTO BRÍA.

> VAMOS FAZER UM GRANDE ANO, ZICO. A VOLTA AO PROFISSIONAL É QUESTÃO DE TEMPO.

> O IMPORTANTE É JOGAR, SEU BRÍA, E QUERO MESMO GANHAR ESSE TÍTULO JUVENIL QUE AINDA NÃO TENHO.

O ANO COMEÇOU COM O TORNEIO INTERNACIONAL DE VERÃO, E O FLAMENGO ESTREOU CONTRA O BENFICA, NA NOITE DE SÁBADO, 15 DE JANEIRO. NO SEGUNDO TEMPO, FIO RECEBEU DE ROGÉRIO E PASSOU ENTRE DOIS ZAGUEIROS...

NA CABINE DA RÁDIO GLOBO, WALDIR AMARAL DEFINIA A RELAÇÃO ENTRE FIO E A MAGNÉTICA GALERA RUBRO-NEGRA.

> FOI LÁ E DEU UMA DE PELÉ, SACUDINDO A TORCIDA DO MENGO! ESTÃO DESFRALDADAS AS BANDEIRAS DO FLAMENGO! FIO, 14 É A CAMISA DELE, INDIVÍDUO COMPETENTE O FIO...

... DEU UM TOQUE, DRIBLOU O GOLEIRO E SÓ NÃO ENTROU COM BOLA E TUDO PORQUE TEVE HUMILDADE EM GOL. A JOGADA FOI ETERNIZADA PELO RUBRO-NEGRO JORGE BEN E ATÉ HOJE É CANTADA BRASIL AFORA: **FIO MARAVILHA, NÓS GOSTAMOS DE VOCÊ!**

EM 1973 ZICO SUBIU PARA OS PROFISSIONAIS. NO DIA 28 DE JANEIRO, PELO TORNEIO DO POVO, NOS 3 X 2 CONTRA O ATLÉTICO NO MINEIRÃO, ELE MARCOU DOIS GOLS – UM DELES PASSANDO POR TODA A DEFESA – E DEU A ASSISTÊNCIA PARA CAIO MARCAR O OUTRO.

NO DIA 6 DE MAIO, DIANTE DE 160 MIL PESSOAS, O FLAMENGO VENCEU O VASCO POR 1 X 0 E CONQUISTOU O BICAMPEONATO DA TAÇA GUANABARA. ARÍLSON, AUTOR DO GOL, COMEMOROU COM DARIO, A GRANDE CONTRATAÇÃO DO ANO.

NO EMPATE POR 2 X 2 COM O VASCO, NA TARDE DE 23 DE SETEMBRO, ZICO ABRIU O PLACAR COBRANDO PÊNALTI. FOI SEU PRIMEIRO GOL PELO TIME PROFISSIONAL NO MARACANÃ, AINDA COM A CAMISA 7.

MAS FOI JÁ COM A CAMISA 10 QUE ELE DECIDIU O ÚLTIMO CLÁSSICO DE 1973, NO DIA 9 DE DEZEMBRO. DEPOIS DE SE LIVRAR DE DOIS ZAGUEIROS COM UM GIRO DE CORPO, ZICO DESLOCOU O GOLEIRO COM UM TOQUE SUAVE NO CANTO ESQUERDO: FLA 1 X 0 BOTAFOGO.

A FAMA DE ZICO COMO EXÍMIO COBRADOR DE FALTAS SE CONSOLIDOU NO ESTADUAL DE 1974. NO DIA 1 DE SETEMBRO, O GOL FOI CONTRA O FLUMINENSE DE GÉRSON E FÉLIX.

NA GOLEADA POR 5 X 1 DIANTE DO MADUREIRA, NO DIA 9 DE OUTUBRO, QUASE UMA REPETIÇÃO DO GOL CONTRA OS TRICOLORES: BOLA ENCOBRINDO A BARREIRA PARA CAIR NO CANTO DIREITO, COM O GOLEIRO DORIVAL ESTÁTICO.

TIA HELENA, PRESIDENTE DA TORCIDA JOVEM, QUE HAVIA VIBRADO COM O GOL DE VALIDO EM 1944 E COM O TRIPLETE DE DIDA NO SEGUNDO TRI, EMOCIONAVA-SE COM A AFIRMAÇÃO DO REI DO FLAMENGO.

ONZE DIAS MAIS TARDE, A VÍTIMA FOI O VASCO NO EMPATE POR 1 X 1. QUANDO ANDRADA PENSOU EM SE MEXER, A REDE VASCAÍNA JÁ ESTAVA BALANÇANDO. FESTA VERMELHA E PRETA NO MARACANÃ.

GOOOOOOOOL!

PARA BRIGAR PELO CAMPEONATO ESTADUAL, O FLAMENGO PRECISARIA CONQUISTAR O TERCEIRO TURNO. E UM JOGADOR JUVENIL AJUDARIA A CONSTRUIR ESSA HISTÓRIA: LEOVEGILDO LINS GAMA JUNIOR.

JUNIOR, MEIO-CAMPISTA DE ORIGEM, JÁ HAVIA SIDO DESLOCADO PARA A LATERAL DIREITA NOS JUVENIS. E NA NOITE DE 6 DE NOVEMBRO DE 1974, EM UM AMISTOSO EM CUIABÁ, CONTRA O OPERÁRIO DE VÁRZEA GRANDE, ELE ENTROU NO SEGUNDO TEMPO. FOI SUA ESTREIA NOS PROFISSIONAIS E O JOGO ACABOU EMPATADO POR 2 X 2.

O PRIMEIRO JOGO DE JUNIOR COMO TITULAR FOI NO TERCEIRO JOGO DO TERCEIRO TURNO, CONTRA O VASCO, DIANTE DE QUASE OITENTA MIL PESSOAS, EM 24 DE NOVEMBRO. AOS 32 MINUTOS, JUNIOR OLHOU E CRUZOU...

... NA CABEÇA DE ZICO, QUE SUBIU MAIS QUE FIDÉLIS E MIGUEL E CUMPRIMENTOU ANDRADA. ERA O SEGUNDO GOL RUBRO-NEGRO NA VITÓRIA POR 3 X 1 E PRIMEIRO EM PARCERIA DA MAIS BEM-SUCEDIDA DUPLA DA HISTÓRIA DO FLAMENGO: ZICO E JUNIOR, JUNIOR E ZICO.

JUNIOR SAIU ROLANDO DE FELICIDADE, FOI PARA A TORCIDA E DEPOIS CORREU PARA ABRAÇAR ZICO E DOVAL. DE CERTO MODO, PARECIA QUE ELE SEMPRE HAVIA ESTADO ALI, NA FESTA VERMELHA E PRETA DO MARACANÃ. AQUELE CORPO DE JUVENIL ERA OCUPADO POR UMA ALMA ANTIGA, DE ANCESTRALIDADE FLAMENGA.

RIO DE JANEIRO, 22 DE DEZEMBRO DE 1974. OS 165.358 PAGANTES NO MARACANÃ VIRAM O FLAMENGO POSAR COM RENATO, JUNIOR, JAYME, LUIZ CARLOS, ZÉ MÁRIO, RODRIGUES NETO, PAULINHO, GERALDO, EDSON, ZICO E JULINHO, ALÉM DO MASSAGISTA JOÃO CARLOS.

QUATRO DIAS ANTES, EDU, IRMÃO DE ZICO, HAVIA FEITO O GOL DO EMPATE DO AMERICA CONTRA O VASCO. ISSO GARANTIA AOS RUBRO-NEGROS A VANTAGEM NA DECISÃO CONTRA OS CRUZ-MALTINOS, E RENATO FOI O GUARDIÃO PERFEITO DESSA VANTAGEM.

ZÉ MÁRIO, JOGANDO DESLOCADO PARA SUBSTITUIR LIMINHA, FOI O MELHOR DA TARDE. "TOMOU CONTA DO JOGO", DISSE RUY PORTO, NA RÁDIO TUPI.

O FLAMENGO JÁ ERA CAMPEÃO NO REMO E, COM O 0 X 0 AO FINAL DO JOGO, TORNOU-SE NOVAMENTE CAMPEÃO DE TERRA E MAR. JOUBERT ERA UM DOS MAIS FELIZES: O SEU TIME DE GAROTOS HAVIA DESBANCADO UMA CONCORRÊNCIA EXPERIENTE PARA CHEGAR AO TÍTULO.

AO LADO DE JUNIOR, ZICO ERGUEU A SUA PRIMEIRA TAÇA COMO TITULAR E DONO DA CAMISA 10. UMA CENA QUE LOGO SE TORNARIA ROTINA NO MAIOR ESTÁDIO DO MUNDO.

MAS O FLAMENGO EM 1975 E 1976 NÃO VIBROU APENAS COM OS GOLS DE FALTA DO CAMISA 10. NO DIA 5 DE JULHO DE 1975, O CLUBE HOMENAGEOU OS TRICAMPEÕES DE 1944 E 1955 E BATEU A JUVENTUS DE ZOFF, GENTILE E SCIREA DE VIRADA POR 2 X 1, GOLS DE DOVAL E ZICO.

EM 1975 O FLAMENGO VENCEU O CAMPEONATO CARIOCA FEMININO DE ATLETISMO. IRENICE RODRIGUES BRILHOU EM VÁRIAS PROVAS, COM DESTAQUE PARA OS 400 METROS, E TAMBÉM ESTARIA NO BICAMPEONATO NO ANO SEGUINTE.

NA NOITE DE 9 DE JANEIRO DE 1976, O FLAMENGO BATEU O VASCO POR 74 X 66 E SE TORNOU CAMPEÃO CARIOCA DE BASQUETE DE 1975. ENTRE OS DESTAQUES, O ETERNO CAMISA 5, PEDRINHO, E O NORTE-AMERICANO GEORGE THOMPSON.

O MAIOR PÚBLICO DA HISTÓRIA DO CLÁSSICO TAMBÉM VIU UM BAILE NO JOGO PRINCIPAL: 3 X 1, DOIS DE ZICO – INCLUINDO UM DE CANHOTA DE FORA DA ÁREA – E UM DE LUISINHO TOMBO, IRMÃO DE CAIO CAMBALHOTA. JUNIOR, EM SEU PRIMEIRO ANO COMO LATERAL-ESQUERDO, TEVE GRANDE ATUAÇÃO.

NO DIA 4 DE ABRIL DE 1976, 174.770 PESSOAS PAGARAM INGRESSO PARA VER FLAMENGO E VASCO PELO CAMPEONATO CARIOCA. NA PRELIMINAR DE JUVENIS, 2 X 0 PARA OS RUBRO-NEGROS COMANDADOS POR UM QUARTETO DE FINO TRATO COM A BOLA: ANDRADE, ADÍLIO, TITA E JÚLIO CÉSAR.

UMA DAS GRANDES TRANSFORMAÇÕES LEVADAS PELA FAF AO CLUBE FOI NA COMUNICAÇÃO, A CARGO DA JORNALISTA MARILENE DABUS. DENTRE ELAS, UMA NOVA IDENTIDADE VISUAL, COM MARCA FANTASIA, QUE AMPLIOU A RECEITA COM A VENDA DE CAMISAS.

NA QUARTA-FEIRA, 22 DE FEVEREIRO DE 1978, DOMINGO BOSCO ASSUMIU O CARGO DE SUPERVISOR DO CLUBE E O COMPROMISSO DE LEVAR O FLAMENGO AO TOPO. MISSÃO COMPLICADA, DADO QUE COUTINHO E ZICO PASSARIAM MEIO ANO COM A SELEÇÃO BRASILEIRA.

SEM ZICO, QUE VOLTARA LESIONADO DA COPA, O TIME FOI À EUROPA EM AGOSTO. NO DIA 18, EM PALMA DE MALLORCA, JUNIOR FEZ UM GOLAÇO NOS 2 X 1 CONTRA O RAYO VALLECANO. O *TROFEO CIUTAT DE PALMA* SERIA DECIDIDO CONTRA O REAL MADRID NO DIA SEGUINTE.

CLÁUDIO ADÃO ABRIU O PLACAR CONTRA O REAL MADRID DO MEIA VICENTE DEL BOSQUE. CLÉBER FEZ 2 X 0, E O FLAMENGO CHEGOU A ENSAIAR UMA GOLEADA. MAS, NO SEGUNDO TEMPO, A ARBITRAGEM – QUE FOI VAIADA – INVENTOU PÊNALTI, EXPULSOU TRÊS RUBRO-NEGROS DE CAMPO, E MAIS COUTINHO E TODO O BANCO.

DOMINGO BOSCO ASSUMIU O LUGAR DE COUTINHO E, COM OITO JOGADORES, O TIME SE SEGUROU NA RAÇA E TAMBÉM NA CATEGORIA DE RAUL PLASSMANN, QUE ESTREAVA NAQUELA EXCURSÃO. A VITÓRIA POR 2 X 1 VALEU UM BELÍSSIMO TROFÉU E O RESPEITO INTERNACIONAL.

89

NA ÚLTIMA RODADA, COM RONDINELLI, CANTARELE, MANGUITO, TONINHO, JUNIOR, CARPEGIANI, MARCINHO, ADÍLIO, TITA, ZICO E CLÉBER, O FLAMENGO PRECISAVA DE UMA VITÓRIA PARA SER CAMPEÃO SEM DISPUTAR AS FINAIS. AO VASCO, O EMPATE BASTAVA PARA FICAR COM O SEGUNDO TURNO E FORÇAR A DECISÃO.

CENTO E VINTE MIL PESSOAS FORAM AO MARACANÃ NAQUELE DOMINGO, 3 DE DEZEMBRO DE 1978. CANTARELE, TITULAR DESDE A LESÃO SOFRIDA POR RAUL UM MÊS ANTES, DEMONSTROU TRANQUILIDADE NOS POUCOS ATAQUES DO VASCO.

SÓ DAVA FLAMENGO, MAS O VASCO IA ARRASTANDO O 0 X 0 ATÉ OS INSTANTES FINAIS. ATÉ QUE UMA BOLA CORTADA PARA ESCANTEIO CAIU PERTO DO FOTÓGRAFO URUGUAIO E RUBRO-NEGRO CHE, QUE REBATEU NA DIREÇÃO DE ZICO E DEU UM RECADO:

"BATE LOGO, VAI GALO, TÁ ACABANDO!"

ZICO NÃO PERDEU TEMPO. ALÇOU UMA BOLA QUE FLUTUOU SOBRE A ÁREA DO VASCO, ATRAINDO TODOS OS OLHARES DO MAIOR ESTÁDIO DO MUNDO. ERAM 41 MINUTOS DO SEGUNDO TEMPO E UM DEUS ESTAVA PRESTES A NASCER.

O FESTIVO 1978 RUBRO-NEGRO TAMBÉM FOI MARCADO PELO VÔLEI FEMININO. EM CAMPINAS, NO DIA 5 DE NOVEMBRO, AS RUBRO-NEGRAS VENCERAM O MINAS POR 3 X 1 E CONQUISTARAM O TÍTULO NACIONAL. NOVE DIAS DEPOIS, AO BATER O FLUMINENSE POR 3 X 2, ELAS FICARAM TAMBÉM COM O CAMPEONATO CARIOCA. OS DESTAQUES DO TIME TREINADO POR ÊNIO FIGUEIREDO FORAM JACQUELINE E REGINA VILELLA.

NAS ÁGUAS DA LAGOA RODRIGO DE FREITAS, OS PUPILOS DE BUCK – COMO WALDEMAR E OLIDOMAR TROMBETTA, RAUL BAGATTINI E WANDIR KUNTZE – ALCANÇARAM O OCTACAMPEONATO DE REMO, FEITO, QUE COMBINADO COM O GOL DE RONDINELLI, TORNOU O FLAMENGO CAMPEÃO DE TERRA E MAR.

TALVEZ POR ISSO O TERCEIRO BAILE DO VERMELHO E PRETO, EVENTO CARNAVALESCO ANUAL CAPITANEADO POR MARILENE DABUS, TENHA SIDO O MAIS ANIMADO ATÉ ENTÃO. NA NOITE DE 22 DE FEVEREIRO DE 1979, CRAQUES E ARTISTAS CAÍRAM NA FOLIA DA QUAL ERAM ANFITRIÕES MARCIO E ELSA BRAGA. QUESTIONADO SE A FESTA ERA UMA CELEBRAÇÃO PELO 1978 GLORIOSO, MARCIO VATICINOU: "NÃO, É PELO QUE VAMOS CONQUISTAR AGORA EM 1979".

MARCIO BRAGA ESTAVA CERTO. 1979 TRARIA DIAS INESQUECÍVEIS E O PRIMEIRO FOI O DOMINGO, 11 DE FEVEREIRO. PARA INAUGURAR O PLACAR ELETRÔNICO DO MARACANÃ, O FLAMENGO POSOU COM TONINHO, CANTARELE, RONDINELLI, MANGUITO, LEANDRO – JOVEM TALENTO QUE VINHA PEDINDO VAGA NAS DUAS LATERAIS E NO MEIO – E JUNIOR; REINALDO, PONTA VINDO DO AMERICA QUE SERIA O ADVERSÁRIO NAQUELA TARDE, ADÍLIO, CLÁUDIO ADÃO, ZICO E JÚLIO CÉSAR.

E COUBE A REINALDO A HONRA DE INICIAR A TRADIÇÃO DOS NOMES DOS AUTORES DOS GOLS NO PLACAR ELETRÔNICO, MANDANDO UMA CHICOTADA INDEFENSÁVEL AOS 28 MINUTOS DA ETAPA INICIAL.

O FLAMENGO DESLANCHOU NO SEGUNDO TEMPO. ADÍLIO FEZ UM GOLAÇO DE CANHOTA AOS 28 MINUTOS E TAMBÉM BOTOU SEU NOME NO PLACAR.

AOS 35, ZICO BATEU UMA FALTA TÃO INCRÍVEL QUE O GOLEIRO PAÍS NEM SE MEXEU: 3 X 0.

EXATAMENTE 70 SEGUNDOS DEPOIS, OUTRA FALTA, NO MESMO LOCAL. QUANDO ZICO TOCOU NA BOLA, SEU NOME AINDA ESTAVA NO PLACAR PELO GOL ANTERIOR. PAÍS PULOU EM VÃO E O NOME DE ZICO IRIA OUTRA VEZ ILUMINAR O MARACANÃ: 4 X 0

A goleada contra o America havia sido pelo campeonato estadual especial, competição disputada entre dez equipes. Com o 3 x 0 no Botafogo em 18 de março, o Flamengo ficou com o primeiro turno. Zico abriu a festa e comemorou com Andrade e Nelson.

A constatação de que aquele time jogava por música fez o flamenguista João Nogueira regravar o histórico samba rubro-negro, alterando a letra que falava em Rubens, Dequinha e Pavão.

♪ O mais querido tem Zico, Adílio e Adão... ♪

Mas nem precisava rezar para São Jorge para o Mengo ser campeão. Com Zico fazendo gols de todos os jeitos...

... o Flamengo ganhou também o segundo turno, evitou outra vez uma decisão e se tornou o primeiro campeão invicto da história do Maracanã.

O bicampeão do Rio não era um time qualquer. Juntando o segundo turno de 1978 e os dois de 1979, não havia sido derrotado uma única vez. Zico, com 26 gols em 17 jogos, foi artilheiro da competição pela terceira vez consecutiva e superou Dida, tornando-se o número um entre os goleadores da história rubro-negra.

Após o último jogo, no dia 29 de abril de 1979, abraçado ao seu filho Cascão, Coutinho deixou de lado sua tradicional cautela e fez uma afirmação a Márcio Braga:

Presidente, eu ouso dizer que não apenas seremos tricampeões, mas também que estamos vendo nascer o maior time da história do Flamengo...

RIO DE JANEIRO, 6 DE ABRIL DE 1979. QUASE 140 MIL PESSOAS FORAM AO MARACANÃ PARA VER O ENCONTRO DE REIS.

PELÉ DRIBLOU, TABELOU, LANÇOU DE VOLEIO E DESFILOU SUA CATEGORIA.

O ATLÉTICO VENCIA POR 1 X 0 QUANDO TITA SOFREU PÊNALTI. EM UMA PASSAGEM DE TRONO, PELÉ PEDIU A ZICO QUE COBRASSE. E COM A BOLA NA REDE, O VELHO REI ERGUEU O NOVO EM UM ABRAÇO.

UM DOS DESTAQUES DA NOITE FOI JÚLIO CÉSAR, COM SEUS DRIBLES QUE O FIZERAM SER CHAMADO DE URI GELLER, ALUSÃO AO ISRAELENSE QUE SUPOSTAMENTE ENTORTAVA TALHERES COM A FORÇA DO PENSAMENTO. COM SEU REPERTÓRIO, JULINHO ENTORTOU A COLUNA DOS MARCADORES.

NA ETAPA FINAL, LUISINHO DAS ARÁBIAS ENTROU NO LUGAR DE PELÉ E FEZ UM GOL. CLÁUDIO ADÃO TAMBÉM DEIXOU O DELE E ZICO CRAVOU MAIS DOIS. UMA NOITE ETERNA NO MARACANÃ.

O SEGUNDO CAMPEONATO ESTADUAL DE 1979 SERIA JOGADO EM TRÊS TURNOS. E O FLAMENGO VENCEU TODOS, CHEGANDO A SETE TURNOS CONSECUTIVOS VENCIDOS, TORNANDO-SE TRICAMPEÃO PELA TERCEIRA VEZ.

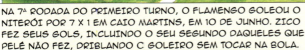

NA 7ª RODADA DO PRIMEIRO TURNO, O FLAMENGO GOLEOU O NITERÓI POR 7 X 1 EM CAIO MARTINS, EM 10 DE JUNHO. ZICO FEZ SEUS GOLS, INCLUINDO O SEU SEGUNDO DAQUELES QUE PELÉ NÃO FEZ, DRIBLANDO O GOLEIRO SEM TOCAR NA BOLA.

♪ ESSE FLAMENGO DE AGORA FAZ LEMBRAR AQUELE DO TRI... QUEM CONHECE A SUA HISTÓRIA DIZ: ASSIM EU NUNCA VI... ♪

PARA COROAR A CONQUISTA DO PRIMEIRO TURNO, O VASCO ENTROU NA RODA NO DIA 22 DE JULHO. JUNIOR, COM DOIS GOLS DE ENORME CATEGORIA, FOI O MELHOR DA VITÓRIA POR 4 X 2.

♪ TEM QUEM TEM RAÇA E TEM FÉ, QUEM MANTÉM A TRADIÇÃO, E ACIMA DE TUDO É RUBRO-NEGRO DE CORAÇÃO... ♪

O RUBRO-NEGRO MORAES MOREIRA, ASSÍDUO NAS CADEIRAS AZUIS DO MARACANÃ COM O FILHO DAVI, IMORTALIZOU A CONQUISTA COM A MÚSICA "VITORIOSO FLAMENGO".

♪ A GAITINHA VAI TOCAR COMO NO TEMPO DE ARI BARROSO... PRA COMEMORAR MAIS UM SOL DESSE MEU VITORIOSO FLAMENGO... ♪

O EXCESSO DE JOGOS LEVOU ZICO A UMA LESÃO MUSCULAR. TITA ASSUMIU A 10 E MARCOU O GOL QUE VALEU O SEGUNDO TURNO: 1 X 0 NO FLUMINENSE NO DIA 23 DE SETEMBRO, QUANDO O EMPATE BASTAVA.

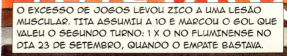

♪ E A GALERA CANTA, FLAMENGO EU SOU TEU FÃ! GRITO DE GOL LEVANTA, SACODE O MARACANÃ... ♪

EM MEIO AO SEGUNDO TURNO, AINDA COM ZICO, O FLAMENGO FOI À ESPANHA DISPUTAR O XXV TROFEO RAMÓN DE CARRANZA, EM CÁDIZ. JÚLIO CÉSAR, EM GRANDE FASE, ABRIU O PLACAR CONTRA O BARCELONA NO DIA 25 DE AGOSTO, DESLOCANDO O GOLEIRO AMIGÓ.

AINDA NO PRIMEIRO TEMPO, ZICO FEZ UM GOL ESPETACULAR DE FALTA. O 2 X 1 FINAL NÃO TRADUZ O SHOW DE BOLA DO FLAMENGO, "UMA DAS MAIORES EXIBIÇÕES EM TODOS TEMPOS, SEM UFANISMOS NEM EXAGEROS", SEGUNDO JOÃO SALDANHA.

NO DIA SEGUINTE, NA FINAL CONTRA OS HÚNGAROS DO ÚJPEST, ZICO FEZ UM GOLAÇO POR COBERTURA AOS 9 SEGUNDOS, O MAIS RÁPIDO DA SUA CARREIRA.

NO SEGUNDO TEMPO, ZICO EMENDOU DE PRIMEIRA UMA BOLA ATRAVESSADA POR JUNIOR E FEZ O GOL DO TÍTULO. SEGUNDO EL MUNDO DEPORTIVO, "UN ZICO SENSACIONAL EN PLAN DE DIRECTOR DE ORQUESTRA".

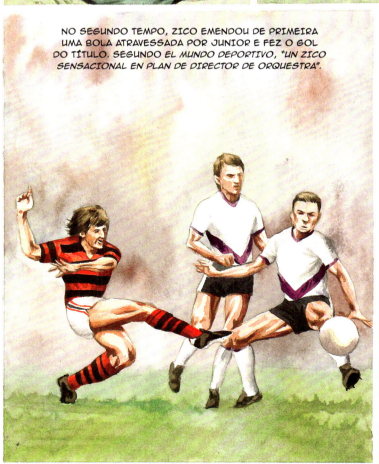

SOB APLAUSOS, O FLAMENGO ERGUEU PELA PRIMEIRA VEZ O RAMÓN DE CARRANZA. ZICO, JUNIOR E ADÍLIO, OS MELHORES EM CAMPO, MOSTRARAM EM CÁDIZ O QUE TODOS OS RUBRO-NEGROS JÁ SABIAM: LOGO AQUELE TIME ESTARIA PRONTO PARA CONQUISTAR O MUNDO.

NA ESTREIA DO TERCEIRO TURNO DO CAMPEONATO ESTADUAL, NA NOITE DE 29 DE SETEMBRO, LEANDRO ENTROU NO LUGAR DE CARPEGIANI E FECHOU A VITÓRIA POR 3 X 0 CONTRA A PORTUGUESA COM UM GOL DE ALTA CLASSE. SEU PRIMEIRO GOL COM O MANTO SAGRADO.

MESMO SEM ZICO, O FLAMENGO CHEGARIA AO TRICAMPEONATO DE MODO ANTECIPADO. TITA FEZ DOIS GOLS NO 3 X 2 CONTRA O VASCO, NO DIA 28 DE OUTUBRO. O TERCEIRO, EM UMA CABEÇADA MONUMENTAL.

NA NATAÇÃO, RÔMULO ARANTES JÚNIOR HONROU A HISTÓRIA DE SEU PAI E TREINADOR, RÔMULO DUNCAN ARANTES, E SE DESTACOU NA CONQUISTA DO CAMPEONATO CARIOCA ABERTO MASCULINO. VIRGÍNIA ANDREATTA TAMBÉM TEVE UM DESEMPENHO FORMIDÁVEL NO DOMÍNIO RUBRO-NEGRO.

O VÔLEI FEMININO CHEGOU AO BICAMPEONATO CARIOCA E TEVE EM ISABEL A MELHOR JOGADORA DA TEMPORADA. NA DECISÃO, O FLAMENGO VENCEU O TIJUCA POR 3 X 0, NO DIA 11 DE DEZEMBRO DE 1979.

♪ OH, MEU MENGÃO, EU GOSTO DE VOCÊ... ♪

NO FINAL DOS ANOS 1970, ERA IMPOSSÍVEL ACHAR ALGUÉM MAIS FELIZ QUE O TORCEDOR RUBRO-NEGRO. E AQUELA FELICIDADE NÃO ERA APENAS PELAS CONQUISTAS SUCESSIVAS, QUE COLOCAVAM A TORCIDA EM ESTADO PERMANENTE DE FESTA. DA ARQUIBANCADA À GERAL, DO OIAPOQUE AO CHUÍ, TODOS PRESSENTIAM QUE O MELHOR AINDA ESTAVA POR VIR, E QUE LOGO CHEGARIA A HORA DE CANTAR AO MUNDO INTEIRO A ALEGRIA DE SER RUBRO-NEGRO.

CONTINUA...

# REFERÊNCIAS BIBLIOGRÁFICAS

## JORNAIS E REVISTAS

A Batalha (RJ)
A.B.C. (RJ)
A Cigarra (RJ)
A Época (RJ)
A Illustração Brazileira (RJ)
A Imprensa (RJ)
A Lanterna (RJ)
Almanaque dos Desportos (RJ)
A Mosca Sportiva (RJ)
A Noite (RJ)
A Noite Ilustrada (RJ)
A Notícia (RJ)
A Razão (RJ)
A Rua (RJ)
Careta (RJ)
Cidade do Rio (RJ)
Correio da Manhã (RJ)
Correio da Noite (RJ)
Correio Paulistano (SP)
Diário Carioca (RJ)
Diário da Noite (RJ)
Diário de Notícias (RJ)
Diário da Tarde (PR)
Dom Quixote (RJ)
El Gráfico (Argentina)
Esporte Ilustrado (RJ)
Estadio (Chile)
Fon Fon (RJ)
Jornal das Moças (RJ)
Gazeta de Notícias (RJ)
Jornal do Brasil (RJ)
Jornal do Commercio (RJ)
Jornal dos Sports (RJ)
Luz e Sombra (RJ)
O Cruzeiro (RJ)
O Cyclismo (RJ)
O Fluminense (RJ)
O Globo (RJ)
O Globo Sportivo (RJ)
O Imparcial (RJ)
O Jockey (RJ)
O Jornal (RJ)
O Malho (RJ)
O Paiz (RJ)
O Que Há (RJ)
O Radical (RJ)
O Século (RJ)
Revista da Semana (RJ)
Revista do Rádio (RJ)
Revista Placar (SP)
Rio Sportivo (RJ)
Semana Sportiva (RJ)
Sport (Inglaterra)
Sports (RJ)
Tico Tico (RJ)
Theatro & Sport (RJ)
The Western Morning News (Inglaterra)
Vida Sportiva (RJ)

## LIVROS

ABINADER, Marcelo. Uma viagem a 1912: surge o futebol do Flamengo. Rio de Janeiro: Águia Dourada, 2010.

ALENCAR, Edigar de. Flamengo: força e alegria do povo. Rio de Janeiro: Conquista, 1970.

ASSAF, Roberto. Consagrado no gramado: a história dos 110 anos do futebol do Flamengo. Rio de Janeiro: Digitaliza, 2022.

_____. Seja no mar, seja na terra: 125 anos de histórias. Rio de Janeiro: Edição do autor, 2019.

ASSAF, Roberto; MARTINS, Clóvis. Campeonato Carioca: 96 anos de história. Rio de Janeiro: Irradiação Cultural, 2007.

ASSAF, Roberto; GARCIA, Roger. Grandes jogos do Flamengo: da fundação ao hexa. Barueri: Panini, 2010.

CARVALHO, Joaquim Vaz de. Flamengo, uma emoção inesquecível. Rio de Janeiro: Relume-Dumará, 1995.

CASTRO, Ruy. Flamengo: O vermelho e o negro. Rio de Janeiro: Ediouro, 2004.

COUTINHO, Edilberto. Nação Rubro-Negra. Rio de Janeiro: Fundação Nestlé de Cultura, 1990.

_____. Zelins, Flamengo até morrer. Rio de Janeiro: Edição do autor, 1994.

CRUZ, Cláudio; AQUINO, Wilson. Acima de tudo rubro-negro: o álbum de Jayme de Carvalho. Rio de Janeiro: Edição dos autores, 2007.

MALACHINE, Ana Carolina Rodrigues. Manto Sagrado! A evolução do design do uniforme de futebol do Flamengo. Rio de Janeiro: Livros de Futebol, 2021.

RODRIGUES FILHO, Mario. Histórias do Flamengo. Rio de Janeiro: Mauad, 2014.

SILVA, Thomaz Soares da. Zizinho: o Mestre Ziza. Rio de Janeiro: Edições do Maracanã, 1985.

VAQUEIRO, Arturo de Oliveira Vaz. Acima de tudo rubro-negro: a história do Clube de Regatas do Flamengo. Rio de Janeiro: World Press, 2004.

### SITES
http://flamantosagrado.com/
https://flamengoalternativo.wordpress.com/
https://museuflamengo.com/
https://flaestatistica.com/
https://republicapazeamor.com.br/site/
https://mundorubronegro.com/
https://bndigital.bn.gov.br/
https://arquivonacional.gov.br/
https://www.flamengo.com.br/

### PERFIS DO TWITTER (X)
@1981antigo
@_malachine
@BLucenaRN
@butter_david
@denyspresman
@FlaAlternativo
@flahistoria
@museuflamengo
@Musicaflamenga

### CORREÇÕES EM RELAÇÃO À PRIMEIRA EDIÇÃO

Esta edição revista e atualizada se deve à colaboração inestimável dos pesquisadores Celso Junior, Denys Presman, Eduardo Vinicius de Souza, Emmanuel do Valle e Paulo Tinoco. Algumas correções foram feitas pelo próprio autor, após o acesso a fontes bibliográficas consultadas após a publicação da primeira edição.

Celso Junior dedica-se ao portal *Fla-Estatística*, com Arturo Vaz, fonte obrigatória para todos que pesquisam o Flamengo. Celso realiza ainda um levantamento sobre os uniformes que o time de futebol usou em todos os jogos da história. Quando do fechamento desta edição, Celso havia identificado os uniformes de 6.008 dos 6.308 jogos já disputados.

Denys Presman é o autor de trabalhos sobre a história do Flamengo, divulgados no perfis oficiais do Clube de Regatas do Flamengo e do Museu Flamengo, além de um livro ainda inédito intitulado *Atlas do Flamengo*. Apontou correções de datas e sugeriu abordagens que estão no terceiro volume.

Eduardo Vinicius de Souza reuniu o maior acervo particular de itens do Flamengo. De seu acervo saíram muitas informações e correções incorporadas em *Me Arrebata*. Foi ele a primeira pessoa a ler o roteiro original e a incentivar a busca por uma editora. Curador do Museu Flamengo, Eduardo faleceu em 27 de junho de 2024. Perda irreparável, saudade eterna.

Emmanuel do Valle é o autor do imprescindível *Flamengo Alternativo*, site dedicado à história do Flamengo. Ele aponta uma correção no primeiro volume de *Me Arrebata* que não foi possível incorporar, visto que demandaria alterar ilustrações. As cores do Madureira Atlético Clube até 1971 eram azul, roxo e branco. Em 1971, a agremiação incorporou dois clubes do bairro homônimo: o Imperial Basquete Clube, no qual predominava o amarelo, e o Madureira Tênis Clube, de cor grená. Desde então, o nome oficial é Madureira Esporte Clube e suas cores são amarelo, grená e azul, cores erroneamente utilizadas nas aparições do Madureira neste volume.

Paulo Tinoco realizou um levantamento abrangente das citações do Flamengo na Música Popular Brasileira, cadastrando mais de 1.550 canções. Ao ampliar sua pesquisa, Tinoco se aprofundou na história do Clube de Regatas do Flamengo e, dentre outras colaborações para *Me Arrebata*, trouxe as numerações corretas das primeiras sedes e levantou a discussão acerca da narração do gol do tricampeonato que está transcrita na obra, de onde se chegou à conclusão de que o narrador em questão é Oduvaldo Cozzi, e não Antônio Cordeiro. O livro de Paulo Tinoco, ainda a ser lançado, é intitulado *FlaMúsica – Memória Musical Rubro-Negra (e a cultura flamenga no cotidiano nacional): Volume I – 1895-1960*.

Editora

Publisher Marco Piovan

Roteirista Mauricio Neves de Jesus

Ilustrador Renato Dalmaso

Editor de Arte Dalton Flemming

Leitura Crítica Bruno Lucena (in memoriam)

Celso Júnior

Denys Presman

Eduardo Vinicius de Souza (in memoriam)

Emmanuel do Valle

Paulo Tinoco

Comunicação e Marketing João Piovan

Revisor César dos Reis

Editora

Diretora Geral Sevani Matos

Produtor Gráfico Alexandre Magno

Impressão Gráfica Santa Marta

⊙ 11CULTURAL    WWW.ONZECULTURAL.COM.BR
❋❋❋ vreditorabr    www.vreditora.com.br

---

Dados Internacionais de Catalogação na Publicação (CIP)
(Câmara Brasileira do Livro, SP, Brasil)

```
Jesus, Mauricio Neves de
   Me arrebata : epopeias rubro-negras : volume 2 :
1950-1979 / Mauricio Neves de Jesus ; [ilustração]
Renato Dalmaso. -- 2. ed. -- São Paulo : Onze
Cultural, 2024. -- (Me arrebata ; v. 2)

   Bibliografia.
   ISBN 978-65-86818-32-1

   1. Flamengo 2. Histórias em quadrinhos
I. Dalmaso, Renato. II. Título. III. Série.

24-219552                                    CDD-741.5
```

Índices para catálogo sistemático:

1. Histórias em quadrinhos   741.5

Tábata Alves da Silva - Bibliotecária - CRB-8/9253